JN071877

智慧のともしび

顕証寺本
蓮如上人絵ものがたり

顕証寺 編

法藏館

目次

【巻頭言】
「顕証寺本 蓮如上人絵伝」
解説書発刊に寄せて――近松真定……4
蓮如上人絵伝への思い――近松照俊……5
【特集1】
顕証寺本 蓮如上人絵伝とは――稲城蓮恵……8
【特集2】
絵所預の蓮如上人絵伝――
一世一代の大仕事――安川如風……14
蓮如上人のご生涯……18
顕証寺本 蓮如上人絵伝 全図……22

第一幅

第一図 誕生……28
第二図 鹿子の御影……30
第三図 生母との別離……32
第四図 得度……34
第五図 大乗院修行……36
第六図 常楽台聖教書写……38
第七図 存如上人と蓮如上人北陸修行……40
第八図 存如上人と河内門徒……42
第九図 无㝵光本尊授与……44
第十図 御文章作成……46
第十一図 寛正の大飢饉……48
第十二図 大谷破却……50
第十三図 近松坊舎に御真影……52
【特集3】
蓮如上人の絵伝――四夷法顕……54

第二幅

第一図 久宝寺に径回……62
第二図 吉崎へ……64
第三図 加賀教化……66
第四図 吉崎での教化……68
第五図 見玉尼の往生……70
第六図 吉崎繁盛……72
第七図 正信偈和讃開版……74
第八図 嫁威しの肉附き面……76
第九図 吉崎御坊炎上……78
第十図 一向一揆……80
第十一図 吉崎退去……82

【特集4】蓮如上人の伝記──赤井智顕……84

第三幅

第一図　出口坊舎の建立……92
第二図　河内門徒の形成……94
第三図　堺の様子……96
第四図　契丹人教化……98
第五図　溝杭の仏照寺教光を教化……100
第六図　山科寺地の寄進……102
第七図　河内門徒による木材寄進……104
第八図　近松坊舎絵像制作……106
第九図　山科本願寺建立を喜ぶ……108
第十図　御真影を迎える……110
第十一図　慈願寺法光知恩院へ……112
第十二図　西証寺建立……114
【特集5】蓮如上人が再興されたもの──赤井智顕……116

第四幅

第一図　南殿隠居……124
第二図　出口団子……126
第三図　大坂坊舎の建立……128
第四図　ご往生……130
第五図　遺骸拝礼……132
第六図　荼毘……134
第七図　大坂一乱……138
第八図　実順入寺……140
第九図　蓮淳入寺……140
第十図　久宝寺寺内町形成……142
【特集6】蓮如上人が一目ぼれした地「大坂」──稲城蓮恵……146

付録　顕証寺関連資料

【付録1】本願寺歴代宗主と顕証寺歴代住職……154
【付録2】顕証寺の歴史──近松照俊……158
顕証寺関係略年表……160
顕証寺歴代住職法名……162
久宝寺寺内町の歴史──近松照俊……163

参考文献……165
あとがき……166
執筆者紹介……167

「顕証寺本 蓮如上人絵伝」解説書発刊に寄せて

顕証寺第二十代住職　近松　真定

本願寺は親鸞聖人（一一七三～一二六三）が法然聖人から受け継いだ「浄土真宗」のご本山です。

この浄土真宗のみ教えから広く「苦悩のわたしたち」が救われる展開をされたのが、本願寺第八代蓮如上人（一四一五～九九）です。当山顕証寺は、この蓮如上人が建立された寺院です。

蓮如上人は「あらゆるものを救う阿弥陀如来のお心」を説くと同時に、『御文章』というお手紙によって、より多くの方々にすべての人が救われる浄土真宗の教えを広められました。

私は蓮如上人建立寺院住職として、この蓮如上人のお心を呈し、御開山親鸞聖人がお説きになられた真実の教えを伝えるべく、「自信教人信」の思いで法灯継承する覚悟であります。私が法灯を受け継ぐ今日、世の中の変化は激しく今後も世の中はスピードを増して変わっていくでしょう。

私はこのように世が移りゆく中で、親鸞聖人や蓮如上人のお心を護る必要があると思います。各方面の専門の方々のご協力やご尽力と有縁の方々のお導きにより「親鸞聖人絵伝」のように「蓮如上人絵伝」の制作と完成が為され、ここに約十年の時を経て今、解説書発刊の運びとなりました。

この絵伝に先代住職が特徴的に取り入れたのは、絵伝のなかに出てくる多くの人々の顔に、この絵伝の作成にご援助くださった方々の「似顔絵」をお礼として取り入れるということです。よってこの絵伝には「現代」と「蓮如上人の時代」が重ね合わせられるという深意が込められることになりました。その時代に蓮如上人の教えによって救われていった人々のように、現代

の皆さまも改めて絵伝の中の会座に出遇うというご認識をお持ちいただければ幸いです。そしてこの「絵伝」を通して如来大悲をご門徒や有縁の皆さまと共にいただきながら、南無阿弥陀仏の真実を生きることをさらに実践していきたいと思っています。

当山顕証寺は毎年五月十一日に「蓮如上人絵伝」を本堂にお懸けし、蓮如上人の御功績をお讃えして「河内蓮如忌法要」を川北組協賛のもと厳修しております。今後も絵伝とこの解説書を通して蓮如上人の会座に連なっているという思いをもってご参拝いただきたいと願っております。

合掌

蓮如上人絵伝への思い

顕証寺第十九代住職　近松　照俊

私が生まれたとき顕証寺はどん底生活の中でした。昭和二十四年、戦後四年のことです。二百六十余の末寺が有ったのが皆離れ、四千余の檀家がすでに無くなっておりました。父は、戦後家を失った三十七世帯の方々を無償で受け入れており、私はそのような大家族の中で楽しく成長して参りました。その中には在日韓国人の家族も同居していました。彼らの間では当然な

がら韓国語で話すので私には理解できず、言葉の壁を感じ、子供心に寂しい思いがしたものです。その頃より国際関係や語学に興味がありました。また、それと同時に　貧しい中にも雑居時代の人々の温かみを忘れてはいません。贅沢はできなくても人々の間には思いやりが満ちていました。

当時、建物は荒廃の極みであり、屋根も傷み、あちらこちらで雨漏りがしていて廊下の板が腐り抜けてしまうほどでした。顕証寺の伽藍を維持するための復興に次ぐ復興で、父母の苦労はいかばかりであったか……と思わずにはいられません。

今、その頃の父の胸中を思い量ると、復興のための浄財を集めることに一生を費やすのではなく、浄土真宗の一僧侶として自然体でご門徒と仏法をゆったりと語り合いたかっただろうと思います。しかし、その父の努力のお陰で、また、それに応えてくださった多くの篤信のご門徒様のお陰で、苦難の道を乗り越えた今日の顕証寺があります。有り難いことであります。

話は元に戻りますが、戦後、社会秩序は乱れ、個人主義が重んじられる結果、御坊のお逮夜市などの伝統文化が、いとも簡単に打ち壊されていきました。顕証寺にも時代の波は押し寄せ、本堂満堂の参拝者が激減し、七日間勤めていた報恩講も三日間になりました。そのような状況ですが、今も私を支え続けている父との約束があります。父は「親・子・孫、三代かけて昔のようにご法義あふれる御堂にする、そして同時に本願寺とご真影さまをお守りせよ！」と絶えず申していました。さらに「その為には僧侶としての本分だけでなく広く世間に飛び出て世界を観、感動を覚え、人々の心を知り、先を見る眼を持ち、果敢に挑む精神を持て。そして、いつか必ず直面する問題に対応できるように常に蓄え続けよ！」との言葉は、今も私の胸に生き続けています。

私は中学生の頃より月参りのお手伝いをしていましたが、その折にご門徒同士が、西や東やと宗派の違いにこだわられる事に疑問を強く感じたものでした。「浄土真宗は一つではないのか？」とか、「蓮如上人が生きておられたらお怒りになられるなぁ！」とか、御文章を拝読しながら思った事でした。そのような気付きが原点となって、蓮如上人のご教化を現代にさらにアピールするにはどうしたらよいかと、考えるに至りました。まず発信すること、提示することが大切であり、一歩踏み出さなければ何も得るものは無いと思いました。

また、父は　こうも申しておりました。「顕証寺は蓮如上人ご建立寺院であるから、西や東と区別することが無いように。蓮如上人の血脈を引くからと言って驕り高ぶることなく、蓮如上人のお心に添い奉る生き方をせよ！」と。

父の志を受け継ぎ、四十歳の年の住職継職法要の折、休止しておりました「河内蓮如忌法要」を河内十組協賛のもと、西本願寺第二十三代門主・勝如上人をお導師にお迎えし再興させていただきました。同時に大坂における蓮如上人の御文章やご教化に一層関心が湧き、ご生涯の内でも当地に特化したご教化の様子・足跡を新たにまとめて具現化できないものか、と考えました。そして、格好の媒体があることに気づきました。顕証寺には　法如上人から下付された「親鸞聖人四幅御絵伝」（八尾市指定文化財）があります。それを範として「蓮如上人四幅御絵伝」を制作することを決意いたしました。平成十三年四月九日に河内十二坊のご住職方も交え、学識経験豊かな先生方をお迎えし、第一回蓮如上人四幅御絵伝会議が顕証寺本堂にて開催されました。以来、およそ十三年、四十五回の会議や現地研修などの活動をいたしました。ご指導頂いた先生方には、それこそ蓮如絵伝の事ですから、東西本願寺の学者方に顧問となっていただき、稲城選恵和上、梯實圓和上、三栗章夫先生、上場顕雄先生、青木馨先生、小谷利明先生、筑後誠隆先生と、錚々たるメンバーでありました。絵師は京都宮絵師の安川如風先生でございます。表装は宇佐美松鶴堂にお願いいたしました。お陰様で日本一大きく、蓮如上人をおたたえする見事な価値ある絵伝となりました。

また、このご絵伝には斬新な試みとして「蓮如上人絵伝」にご懇志をお寄せいただいた方々のお顔を似顔絵として描かせていただきました。場面場面で仏法を説いておられる蓮如上人は生き生きとその似顔絵のお同行に接しておられるのです。そのお姿は似顔絵の人物のご家族にも間違いなく永久に、子々孫々代々伝わってゆく伝道そのものでありましょう。分け隔てのない蓮如上人の温かき御心と救いを現した「蓮如上人絵伝」が顕証寺には必要であるとつくづく思うことであります。さらに、絵解きもいずれご門徒が伝承されんことを期待しております。

そして、蓮如上人のお導きであるかのように思われることですが、東西本願寺の宗派間の交流が盛んになってきたことは特筆に値します。とりわけ、お東の平野・慧光寺近松殿とは三百年の長きにわたる確執が解消され、晴れて共に歩むことを誓えた事に感動を覚えずにはおられません。蓮如上人、有り難し！です。この絵伝を通じて、蓮如上人の魅力を見出し、その教えを私達は活かしていく使命があると思っています。蓮如忌法要と絵伝は一対のものであり、ここに「顕証寺本 蓮如上人絵伝」解説書が発刊されるのは誠に意義深く、有り難い事であります。

至心敬禮

「仏法は常に満開であります！　いざ参られよ!!」

【特集1】

顕証寺本　蓮如上人絵伝とは

稲城　蓮恵

一　「絵伝」とは

顕証寺の四幅「蓮如上人絵伝」は、蓮如上人五百回遠忌を記念して制作され、平成二十六（二〇一四）年に完成した日本、いや世界で一番大きい「絵伝」です。平座の精神で親鸞聖人の教えを分かりやすく伝えられた蓮如上人のご一生と、顕証寺の建立やその寺内町の形成までが描かれています。

「絵伝」というと、報恩講のときに一般のお寺の余間にかけられている「親鸞聖人絵伝」を思い浮かべる方が多いでしょう。この「絵伝」は、もともと親鸞聖人の三十三回忌の翌年に、曾孫（ひ孫）の覚如上人が、聖人の遺徳を讃える伝記を絵巻物として著されたものが始まりです。当時は高僧方の絵巻物が流行していましたので、覚如上人もそれにならって制作されたようです。

この絵巻物の「親鸞聖人伝絵」（「絵伝」と「伝絵」を混同しないでください）は、上人が二十六歳の永仁三（一二九五）年に制作されてから、晩年の七十四歳の康永二（一三四三）年に至るまで増訂をほどこされ、それらの自筆の「伝絵」は、西本願寺や東本願寺、高田専修寺に今日まで伝えられています。

「親鸞聖人伝絵」は詞書と絵からなる絵巻物ですが、これでは一度に大勢の人が見られないので、詞書と絵とを別々に分けて、絵を掛幅にしたのが「絵伝」です。今日では報恩講のときに各寺院の余間に奉懸される四幅絵伝は、覚如上人の最終稿である康永本の図柄に準拠していて、蓮如上人の父である存如上人のときにそれが定型化したようです。「親鸞聖人絵伝」は以後、本山から授与されるものとなり、西本願寺は大和絵的な情緒のある画風で、東本願寺は近代的な華やかな画風に特徴があるといわれています。

これに対して「蓮如上人絵伝」は、本山から授与されるのではなくて、それぞれの地方において制作されたところに特徴があります。だから絵相や形式などに決まった形式がなく、所蔵されている寺院の縁起などが盛り込まれていて、その地域や住民たちとの連帯感が伝わってくる絵伝となっています。「親鸞聖人絵伝」は各寺院にありますが、「蓮如上人絵伝」は、主に蓮如上人と関係のある北陸や三河などを中心に全国に二百点余しかありません。その多くは蓮如上人の三百回忌から三百五十回忌にかけて制作されたもので、蓮如上人の伝承の多い、しかも上人の御忌法要の盛んな地方のお寺に所蔵されています。

顕証寺の「蓮如上人絵伝」は、第十七代宗主法如上人から授与された「親鸞聖人絵伝」と同等の大きさで制作され、本紙の縦二一七・八センチ×横一四一・四センチ、表装もいれると二九八センチ×一五〇・三センチの大きさです。普通の「蓮如上人絵伝」が横幅が八〇センチほどですから、倍の大きさとなり、いかに大きいかが分かります。

二 「絵伝」の見方

この四幅「絵伝」の見方は、「親鸞聖人絵伝」と同じく、各幅ごとに下から上にと見ていき、また同じ段に描かれているものは向かって右から左へと見ていきます。そして上下の段は「すやり霞」という藍色の雲形の図形で仕切って場面の切り替えを行っています。この顕証寺の「蓮如上人絵伝」では、四幅に渡って顕証寺と縁の深い龍が「すやり霞」のように描かれていますので、探してみてください。

一幅目には、蓮如上人のご誕生から京都東山にあった大谷本願寺の破却や近江の近松坊舎に御真影を移す場面が描かれています。二幅目には、蓮如上人が久宝寺にこられて和歌を詠んだ場面から越前で一向一揆が起きたことにより、蓮如上人が越前吉崎を退去するまでが描かれています。三幅目には、出口坊舎の建立の因縁や河内門徒の形成から山科本願寺を建立して御真影を迎え、河内慈願寺の法光や仏照寺の教光などの事蹟が描かれています。四幅目には、大坂坊舎の建立から蓮如上人のご往生、久宝寺の寺内町が形成されるまでが描かれています。

三　「絵伝」の制作

この四幅「絵伝」は、蓮如上人五百回遠忌を記念して制作されました。平成十三（二〇〇一）年四月九日に第一回目の絵伝を制作するための会議が行われました。会議には、梯實圓勧学和上、元総合研究所上級研究員の三栗章夫氏、真宗大谷派からは大谷大学講師の上場顕雄氏、同朋大学客員研究員の青木馨氏、八尾市立歴史民俗資料館館長の小谷利明氏、香川県さぬき市・徳勝寺前住職の筑後誠隆氏、そして、恩師で光蓮寺前住職の稲城選恵勧学和上が列席して、総計で四十五回の会議が開かれました。真宗、仏教、美術、地理、歴史などの専門の立場から喧々諤々の議論が重ねられて、あるいは絵相を考証するために現地を訪ねて、宮絵師の安川如風氏が絵筆を執り、足かけ十三年の星霜を経て、世界一の絵伝が誕生したのです。

【特集2】絵所預の蓮如上人絵伝
―一世一代の大仕事―

久宝寺御坊顕証寺絵所預
安川（やすかわ）　如風（にょふう）

この日本一大きな蓮如上人絵伝制作は、顕証寺様で平成十五年に厳修された蓮如上人五百回遠忌法要の記念事業として、その数年前にお話をいただいたのが始まりでした。

最初にお話をいただいた時は、親鸞聖人絵伝のように、決まった構図を写して描けばよいものと思い、簡単な気持ちでお請けいたしました。しかし、実際に請けてみると、蓮如上人絵伝は、蓮如上人の御生涯を描く中にも、各地方や寺院の独自の場面を盛り込むという創作自由なもので、月一度の制作会議を開いて、場面を選定する作業から始まりました。参考にする既存の蓮如上人絵伝もさまざまで、蓮如上人の書籍、絵伝の研究書を買い集め、まずは勉強する日々が続きました。会議は私が出席したものだけでも二十九回を数え、絵を描く以前に膨大な時間と費用が掛かりました。そのため、私の事業経営の負担となり一時は完成も断念せざるを得ないというところまでいきましたが、何とか、ぜロから構築する下絵制作に六年。彩色に二人で一年半。表具・截金(きりかね)に九カ月の時間を費やしながらも、お陰さまで無事、完成・納品することができました。

困難な仕事ではありましたが、この仕事のお陰で、本山御門主として二人も入山されるような顕証寺様、また、真宗や歴史の研究をされている、素晴らしい先生方とご縁をいただくことができました。本来なら一職人が、近しくお話することもできない、浄土真宗本願寺派勧学の故稲城選恵(いなぎせんえ)和上や、故梯實圓(かけはしじつえん)和上も、制作会議で机を並べて御指導をいただきました。その他、それぞれの専門分野の御指導を得ましたし、何より皆様、長期にわたる制作会議にご協力いただけましたこと、本当に感謝の一言です。

今回のことで、人間は、困難なことや嫌な事に遭遇したときでも、自ら主体的にかかわっていくことで、得ることが必ずあるものだと教えられました。大きさも日本一、構図も全てオリジナルと、私の人生の中で最初で最後の大仕事になるだろうと思います。ここに記録として文字を残しましたが、実物をご覧頂くのが一番です。毎年五月に行われる、顕証寺様の蓮如忌の折に、ご本堂に掛けられますので、是非ご参拝され、蓮如上人のご生涯、顕証寺縁起を見ながら、絵についても見ていただきたいです。

合　掌

一　工程・技法

この度制作した顕証寺様の蓮如上人絵伝は、日本画技法による絹本着色です。本紙寸法タテ二一七八ミリ×ヨコ一四一四ミリの大画面のものを四幅、構図もすべてオリジナルで、大変長期にわたる大掛かりな仕事でした。そのため、この仕事をするにあたっては困難の連続でした。

まず大前提として、長期間にわたっての広い作業場の確保が必要です。その次は材料の確保。基底物となる絹本も通常使うサイズではないため、早めに準備をはじめました。また絵の具もこれだけ大画面に用いるのですから、途中で切れてしまっては色の統一性がなくなります。色調の検討をして、試し塗りなどを重ねてから、必要な絵の具を買い揃えました。

構図の作成については、二十九回を重ねた絵伝制作会議で選定された場面をラフ画として提出し、会議の度に修正を重ね、提出したラフ図は九回。細かい修正や、本番までの手直しを数えればそれ以上になり、完成まで六年の歳月がかかりました。また、本番彩色中においても、監修の三栗章夫(みくりあきお)先生に何度か工房までご足労いただき、細部まで修正を重ねました。

画風については、絵伝と絵巻物の中間をめざし、主に彩色参考としたものは『慕帰絵詞(ぼきえことば)』『一遍上人絵伝(いっぺんしょうにんえでん)』です。これは、絵伝のコマ割の構成の中にも、一枚の連続した紙に描かれた中世の絵巻物のやわらかい動きのある風合いにするためです。また、歴史を重ねた荘厳な本堂の趣に合わせるため、やや古色の風合いとしています。

本番の彩色は、二人がかりで一年半。これだけ長期間となるので、絵や絹が日にやけないように、部屋の窓に黒いカーテンをつけたり、室温・温度に注意をはらいました。作業は、絵の両脇に高い台を置いて、その上に細長い板を渡した〝乗り板〟で作業します。絵より高い位置からうつむいた姿勢での作業は、机の上で作業するのに比べて、大変疲れる姿勢です。また、日本画の顔料を溶くのは牛皮からつくる三千本膠(にかわ)です。寒いとすぐに固まってしまいますし、大変デリケートな画材です。今回四季を通じての作業でしたから、絵の具を溶くさじ加減や管理も大変でした。

また、第四幅中央の阿弥陀様の光背の光明として十八本の細い直線の截金をいれています。截金とは、金箔を細かく切ったものを筆とノリを使い、緻密で繊細な輝く美しい文様を描き出す技法のことです。彩色以上に繊細な作

業で、下書きなどせずに直接描いていくものですから、これだけの大画面にまっすぐな長い線を引くのは大変な仕事でした。

二　オリジナル部分について

ここまでさまざまな制作の苦労話を書きましたが、この絵伝には、他の絵伝に無い試みもしていて、それがまた大変な難問でした。

まず第一に、似顔絵。顕証寺様にご縁のある方々に、絵伝の登場人物になっていただいています。その総数百五十五名。お一人お一人から写真をいただき、似顔絵を描き込んでいます。彩色の作業も大変でしたが、顔を描く登場人物の選定は顕証寺の御前自らが行われ、特に四幅目においては、十八本の光明にかぶらないように、彩色と打ち合わせしながらと、その作業は大変なご苦労であったと思います。

第二に、四幅にまたがる隠し絵を描いています。四幅をまたぐわけですから構図の段階からそれを組み込まなければなりません。最初から最後までそれを考慮しての作業でしたからこちらも気を使う仕事でした。

その他、場面の選定・下絵から制作したこの絵伝は、場面の題材として新しいもの、既存の場面でも新しい表現をしたものなど、たくさんのオリジナルがあります。以下に箇条書きにしてまとめましたので、今後の絵伝制作や蓮如上人絵伝の参考になれば幸いです。

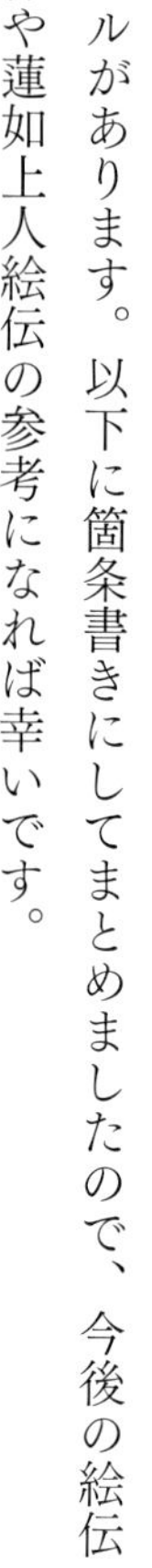

四幅にまたがる龍の隠し絵

最後に阿弥陀様の衣と光背に截金をほどこしました。光明は十八願にかけて18本とし、画面一杯に長い截金の線が入っています。

第一幅「寛正の大飢饉」の場面。左下の山が、全四幅にまたがる龍の頭になっています。場面を仕切る山の連なりが龍の体です。

梯實圓和上

近松照俊前住職

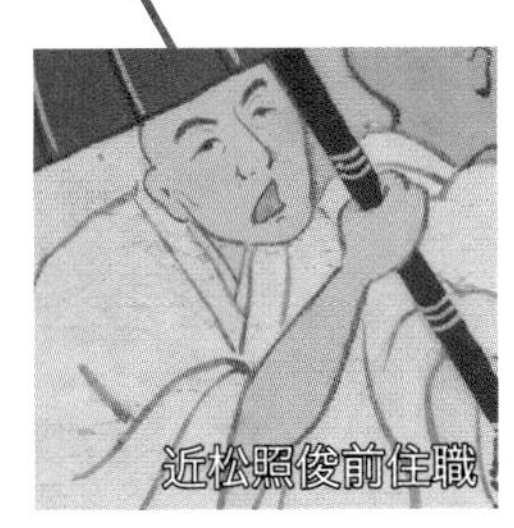

155名それぞれに写真を提出して頂き、ご住職様が熟考された登場人物へ描いていきました。右は似顔絵の一例。

【場面の題材として初めてのもの】

○河内関係の場面　1-3-中 存如上人と河内門徒・2-1-右 久宝寺に径回・3-1-左 河内門徒の形成・3-3-左 河内門徒による木材寄進・3-5-左 西証寺建立（蛇骨）・4-1-中 出口団子・4-4-右下 大坂一乱・4-4-右上 実順入寺・4-4-左 蓮淳入寺・4-5 久宝寺寺内町形成

○1-4-中　御文章作成（事始めの御文）

○1-4-左　寛正の大飢饉

○2-2-左　聖人一流章

○2-3-左下　正信偈和讃開版

○2-5-右　一向一揆

○4-1-右　南殿隠居（和讃順讃）

【既存の場面で新しい表現をしたもの】

○1-1-左　生母との別離（雲に乗り去る母を観音の姿に描き、池に映る姿を母の姿で描く）

○1-3-左　无㝵光本尊授与（堅田本福寺の堂内に名号を掛けて描く）

○1-5-右　大谷破却（桶屋の活躍を描く）

○2-2-中　吉崎繁盛（吉崎の古地図を描く）

○2-3-右と左上　見玉尼（御文章通り蓮・蝶・極楽を描く、一年後に御文章を書く蓮如上人の姿を描く）

○2-5-左　吉崎退去（後悔する蓮崇）

○3-2-右　契丹人教化（堺の街並みの遠景）

○3-4-右上　山科本願寺建立（蓮如上人堂内で一人喜ぶ）

○4-2-左　遺骸拝礼（内陣から外陣の方向を見た構図＝蓮如上人遺骸の後ろ姿）

○4-3　茶毘（阿弥陀如来と十八本の截金による光明）

【全体を通しての特徴・新しい表現】

○登場人物の似顔絵
○四幅にまたがる龍の隠し絵
○御真影を黒塗りに彩色（現在の御真影の表現を採用）
○他の絵伝に比べて、袈裟の濃淡の差が少ない（会議決定通り）
○掛軸などをリアルにミニチュア再現（登山名号、親鸞絵伝、安城御影など）
○民衆（一般門徒）を多く描く（御真影を迎える、遺骸拝礼、茶毘など）。特に「正信偈和讃開版」では、蓮如上人と民衆が名号に向かい一緒に勤行する様子を描いたが、上人と門徒が向かい合わせでない表現は初めて
○1−4−中「御文章作成」で、御簾の後ろの別の場面の景色が透けて見えるように描く
○2−4−右「嫁威しの肉附き面」の面の裏側を描く
○2−5−右「一向一揆」で、すやり霞に人をとび出すように描く

水干絵具と膠液を絵皿にいれ、絵具をつくる

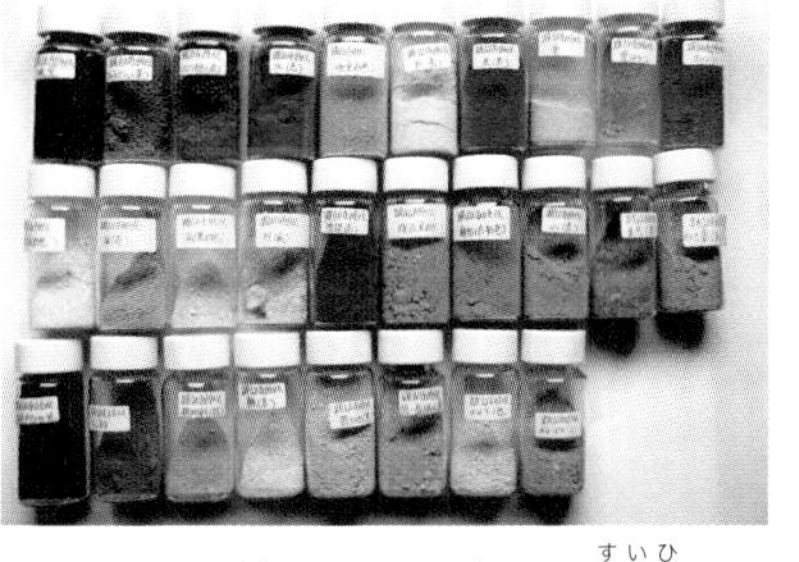

使用した日本画の水干（すいひ）絵具

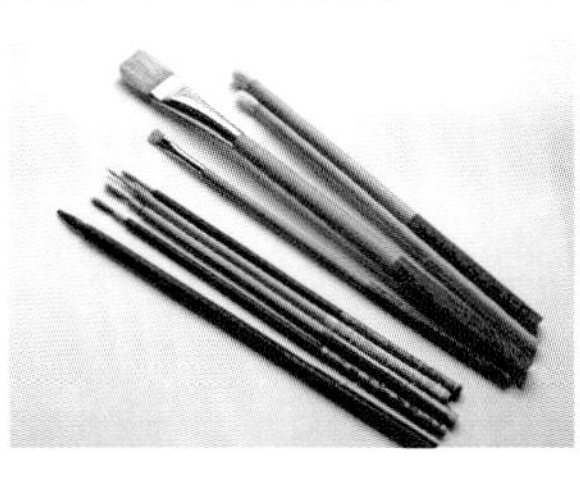

使用した絵筆

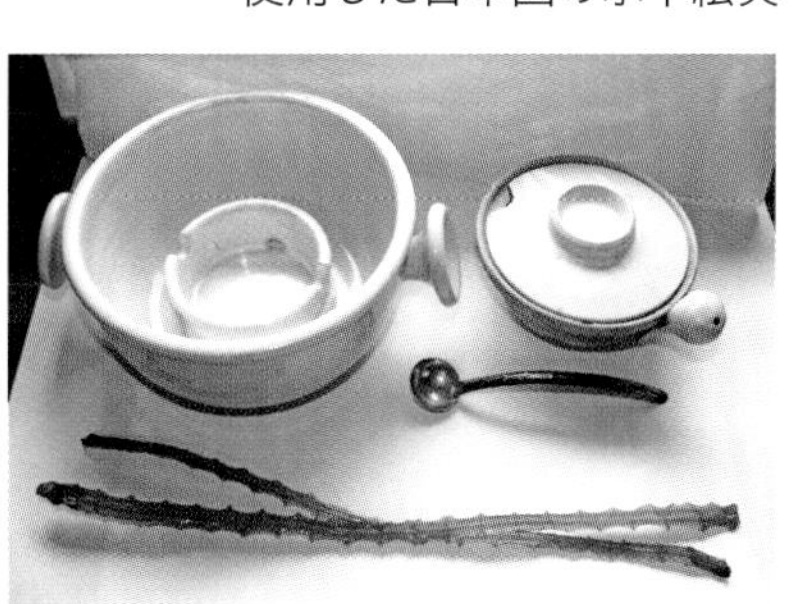

三千本膠（にかわ）と膠鍋

蓮如上人のご生涯

西暦	和暦	年齢	月日	事項	蓮如上人絵伝該当箇所
一四一五	応永二二	1		東山大谷で誕生する	1－1 誕生
一四二〇	応永二七	6	12・28	生母、大谷を去る	1－2 鹿子の御影 1－3 生母との別離
一四二六	応永三三	12		経覚（蓮如の勉学の師）、南都・興福寺別当に就任する	1－5 大乗院修行
一四三一	永亨三	17	夏	青蓮院で得度し、「蓮如・兼寿」と称する	1－4 得度
一四三九	永亨一一	25	7・下旬	常楽台で『他力信心聞書』を写す	1－6 常楽台聖教書写
一四四〇	永亨一二	26		巧如が往生する	
一四四二	嘉吉二	28		長子・順如、誕生する	
一四四九	宝徳元	35	春	父・存如とともに北陸・東国に赴く	1－7 存如上人・蓮如上人北陸修行
			4・16	足利義政が元服し八代将軍となる	
一四五七	康正三	43	夏	父・存如、久宝寺慈願寺門徒・心道（八尾市亀井）に阿弥陀如来絵像を授与する	1－8 存如上人と河内門徒
			6・18	父・存如が往生する	
一四五八	長禄二	44	8・10	第八子・実如、誕生する	
			10・23	河内国慈願寺（久宝寺・法円）に十字名号を授与する	1－9 无㝵光本尊授与
一四六〇	長禄四	46	2・24	堅田の法住（本福寺）に十字名号（无㝵光本尊）を授与する	1－9 无㝵光本尊授与
一四六〇	寛正元	46	冬〜翌年7月	寛正の大飢饉	1－11 寛正の大飢饉
一四六一	寛正二	47	3・	初めて御文章（御文）を執筆する	1－10 御文章作成

			10・	安城御影を修復する	
			11・28	宗祖二百回忌	
一四六五	寛正六	51	1・9	比叡山延暦寺西塔の衆徒、大谷を破却する（寛正の法難）	1-12 大谷破却
			3・21	再び、比叡山の衆徒、大谷を破却する	
一四六六	文正元	52		順如に譲状を書く	
一四六七	文正二	53	2・16	久宝寺法円の所望により『口伝鈔』を授ける	
一四六七	応仁元	53	4・	応仁の乱起こる	
一四六八	応仁二	54	3・28	光養丸（実如）に譲状を書く	
			3・29	延暦寺の衆徒、近江堅田を攻める。堅田衆、沖島に逃れる	
一四六九	文明元	55	春	三井園城寺と交渉し、同寺境内南別所の近松に御真影を安置する	1-13 近松坊舎に御真影
一四七〇	文明二	56		道顕が再興した和泉国堺の道場を訪ね、「親鸞伝絵」を授ける	
			2・28	久宝寺の法円（慈願寺）をたずね和歌を詠む	2-1 久宝寺に径回
一四七一	文明三	57	4・初旬	大津南別所（顕証寺）から京都を経て、越前吉崎に赴く	2-2 吉崎へ
			7・27	越前吉崎に坊舎を建てる	
			9・4	加賀・専光寺に「親鸞伝絵」を授ける	2-3 加賀教化
一四七二	文明四	58	3・20	伝説・面を着けた姑が聴聞を邪魔しようと嫁をおどす	2-8 嫁威しの肉附き面
			8・14	息女・見玉尼が往生する	2-5 見玉尼の往生
			10・4	継母・如円尼の十三回忌を修す	
一四七三	文明五	59	3・	『正信偈和讃』を刊行する	2-7 正信偈和讃開版
			12・19	足利義尚が九代将軍となる	
一四七四	文明六	60	3・28	越前吉崎の坊舎を焼失する	2-9 吉崎御坊炎上
			7・26	加賀の衆徒、富樫正親と共に専修寺門徒・富樫幸千代と戦う	2-10 一向一揆
一四七五	文明七	61	3・下旬	加賀の衆徒、富樫正親と戦い、敗れる	

西暦	和暦	年齢	月日	事項	蓮如上人絵伝該当箇所
一四七五	文明七	61	8・21	越前吉崎を退去し、若狭小浜に着し、丹波、摂津を経て河内出口に着く	2-11　吉崎退去
			9・22	久宝寺法円（慈願寺）の所望により「親鸞伝絵」を授ける	3-2　河内門徒の形成
			11・下旬	出口において報恩講を修す	3-1　出口坊舎の建立
一四七六	文明八	62		堺御坊を建立する	3-3　堺の様子・3-4　契丹人教化
一四七七	文明九	63	6・18	順如に宗祖影像を授ける	
			12・2	溝杭村（現大阪府茨木市）の仏照寺教光を教化する	3-5　溝杭の仏照寺教光を教化
			11・20	応仁の乱終わる	
一四七八	文明一〇	64	1・29	出口より山城山科へ赴き、本願寺再建を始める	3-6　山科寺地の寄進
一四七九	文明一一	65	12・中旬	山科に堺の坊舎を移し、御影堂用材五十本を集める	3-7　河内門徒による木材寄進
一四八〇	文明一二	66	3・28	山科本願寺の御影堂上棟	3-9　山科本願寺建立を喜ぶ
			10・14	日野富子、山科本願寺を観る	
			11・18	御真影・宗祖影像を大津近松から山科に動座	3-10　御真影を迎える
			11・21	山科本願寺で報恩講を修す	
一四八一	文明一三	67	2・4	山科本願寺阿弥陀堂の造営を始める	
			4・28	阿弥陀堂上棟	
			6・	仏光寺の経豪、本願寺教団に帰参し、興正寺蓮教と称する	
一四八三	文明一五	69	5・29	長子・順如が往生する	
			8・29	摂津・有馬に湯治に行く	
一四八六	文明一八	72	3・8	河内出口から紀伊国を訪ねる	
一四八八	長享二	74	6・9	加賀の宗徒、富樫正親を高尾城に攻め、正親自害する	
一四八九	延徳元	75	8・28	寺務を実如に譲り、山科本願寺の南殿に隠居する	4-1　南殿隠居

西暦	和暦	年齢	月日	事項	
一四九〇	延徳二	76	10・28	応仁二年に続き、再び実如に譲状を書く	
一四九一	延徳三	77	11・28	蓮照(応玄)、蓮如上人の『正信偈註』を写す	
一四九二	延徳四	78	5・2	興正寺蓮教(経豪)が往生する	
一四九三	明応二	79	1・1	山城勧修寺村の道徳に法話する	
一四九六	明応五	82	8・25	吉野飯貝坊へ赴く	
			10・8	大坂石山に草坊ができる	
一四九七	明応六	83	11・下旬	大坂坊舎完成する	4-3 大坂坊舎の建立
				報恩講を大坂と富田で営む	
一四九八	明応七	84	4・初旬	蓮如、病気を患う	
			5・7	蓮如、宗祖影像に訣別のために上山する	
			5・25	蓮如、病をおして御影堂に参る	
一四九九	明応八	85	2・18	蓮如、大坂から山科本願寺へ向かう	
			2・21	蓮如、御影堂に参詣する	
			2・25	蓮如、御影堂周囲の土居を見る	
			3・9	蓮如、亭で順誓・空善・了珍と法談、龍玄に御文章を読ませる	
			3・9	蓮如、実如・蓮綱・蓮誓・蓮淳・蓮悟に後事を託す	
			3・20	蓮如、破門していた下間蓮崇を許す	
			3・25	蓮如、往生する	4-4 ご往生・4-5 遺骸拝礼
			3・26	荼毘に付す	4-6 荼毘
			4・25	蓮如の子息等『兄弟中申合条々』(蓮如上人御遺言)をまとめる	
一五〇一	文亀元		12・24	越中五箇山の道宗、「二十一ケ条心得」を書く	

◉顕証寺本　蓮如上人絵伝　全図

第一幅

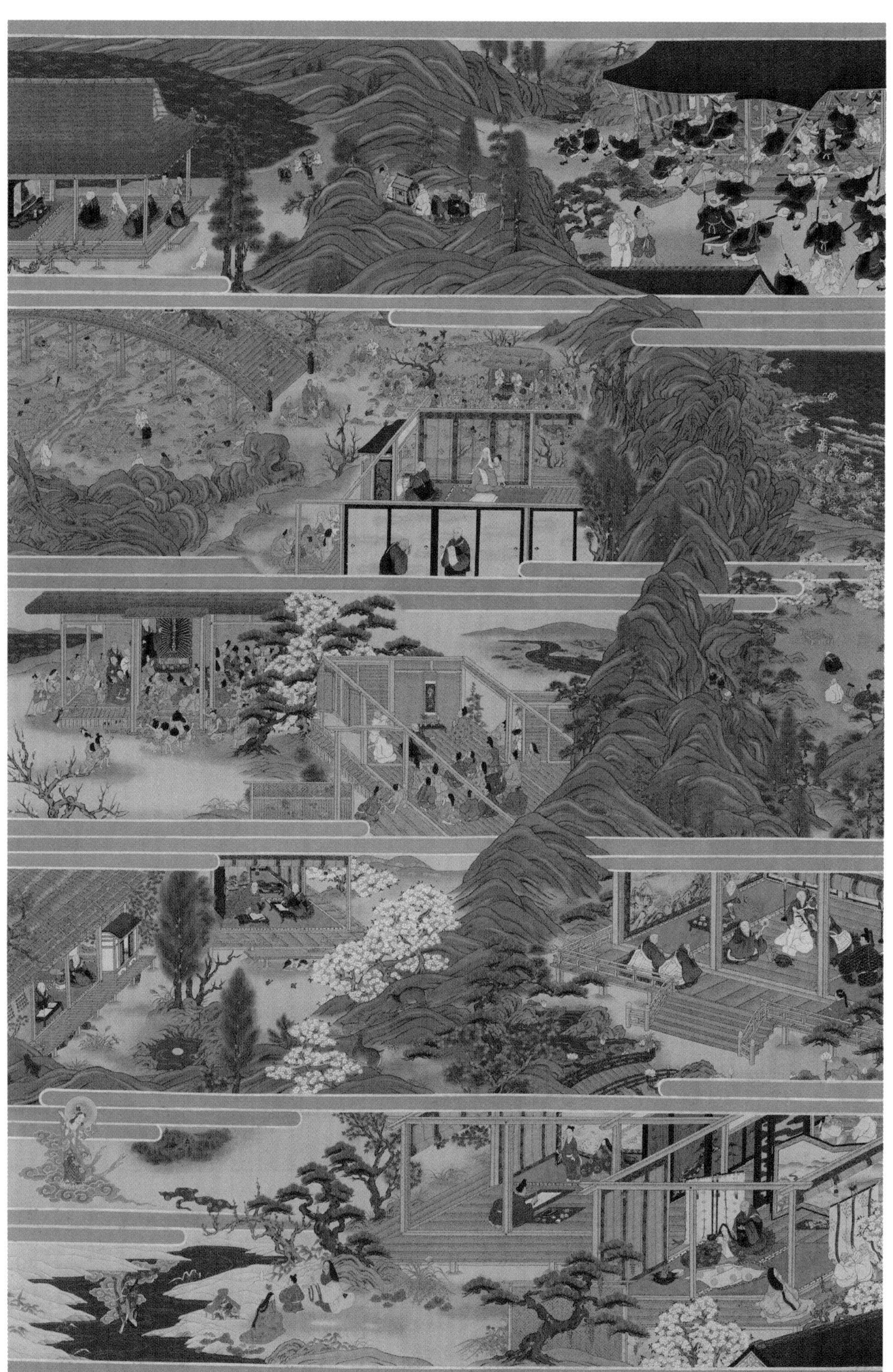

1　誕生(28)
2　鹿子の御影(30)
3　生母との別離(32)
4　得度(34)
5　大乗院修行(36)
6　常楽台聖教書写(38)
7　存如上人と蓮如上人北陸修行(40)
8　存如上人と河内門徒(42)
9　无导光本尊授与(44)
10　御文章作成(46)
11　寛正の大飢饉(48)
12　大谷破却(50)
13　近松坊舎に御真影(52)

※図タイトル下の(　)内数字は、本書の頁数を示す。

第二幅

10 一向一揆（80）
11 吉崎退去（82）

8 嫁威しの肉附き面（76）
9 吉崎御坊炎上（78）

5 見玉尼の往生（70）
6 吉崎繁盛（72）
7 正信偈和讃開版（74）

3 加賀教化（66）
4 吉崎での教化（68）

1 久宝寺に径回（62）
2 吉崎へ（64）

第三幅

11 慈願寺法光
知恩院へ（112）
12 西証寺建立（114）

8 近松坊舎絵像制作（106）
9 山科本願寺建立を喜ぶ（108）
10 御真影を迎える（110）

6 山科寺地の寄進（102）
7 河内門徒による
木材寄進（104）

3 堺の様子（96）
4 契丹人教化（98）
5 溝杭の仏照寺教光を教化（100）

1 出口坊舎の建立（92）
2 河内門徒の形成（94）

第四幅

1 南殿隠居（124）
2 出口団子（126）
3 大坂坊舎の建立（128）
4 ご往生（130）
5 遺骸拝礼（132）
6 荼毘（134）
7 大坂一乱（138）
8 実順入寺（140）
9 蓮淳入寺（140）
10 久宝寺寺内町形成（142）

第一幅

第一幅目・第一図

「誕生」

※月日は太陰太陽暦です

応永二十二(一四一五)年　季節春

大谷本願寺の境内には、梅や桜の花が咲きほこり、誕生された蓮如さまを、お母さまとお父さまの存如さまがあやされています。濡れ縁の侍女はお祝いの楪を持ち、屏風の前には、ぶりぶりの玩具と扇子が飾られています。

物語

応永二十二（一四一五）年の春の頃、京都東山・大谷本願寺で、大きな産声をあげて、一人の赤ん坊が誕生しました。この赤ん坊こそ、後に幾たびの困難をくぐり抜けながらも、宗祖・親鸞さまの説かれた浄土真宗のみ教えを国中に広め、数多の人びとを導かれ、真宗教団をわずか一代で大教団におしあげていかれた、蓮如さまその人でした。

お父さまは本願寺の第七代をつとめられていた存如さま、お母さまは蓮如さまの祖母であります第六代巧如さまの奥さまにお仕えされていた方といわれています。布袋丸と名付けられ、すくすくと育たれた幼い蓮如さまの無邪気な笑顔は、お父さまやお母さまを笑顔にさせるのでした。

蓮如さまがご誕生された時の本願寺は、現在の青蓮院の南にある崇泰院のあたりであったといわれています。後に蓮如さまは、「私の生まれた場所は、京都東山の粟田口青蓮院の南のあたりです。そこが私の故郷です」と語られています。

当時の本願寺は、お参りの方の姿がほとんど見られず、とても寂しい状況でした。蓮如さまは成長されるにつれ、学問にはげんでいかれますが、ご自身の果たすべき使命を、深く心に刻み込んでいかれます。その使命こそ、「親鸞さまのお勧めになられた浄土真宗のみ教えを、一人でも多くの方に伝えていかなければならない。この浄土真宗を繁盛させていきたい」というものでした。

浄土真宗を再興させていきたい、との志を強くもたれた蓮如さまは、四十三歳の時に存如さまから本願寺を継がれますと、ご自身が願われた通り、類いまれなご教化を通して、浄土真宗のみ教えを数多の人々に届けられ、再興を果たされていくのでした。

コラム 蓮如上人の誕生日はいつ？

蓮如上人がお生まれになったのは、応永二十二（一四一五）年の春であったことは、各種伝記の伝えるところですが、そこに具体的な月日は記されていません。蓮如上人の誕生日を二月二十五日とする説が登場するのは、実は近世に入ってからのことです。

一般に前近代におきましては、今日の私たちが意識する誕生日はそれほど重要視されていませんでした。数え年で年齢を数えていた当時は、年が改まる元旦が重要だったからです。これは親鸞聖人も同じで、聖人の誕生日が承安三年四月一日という説が初めて出されたのは、高田派の普門師が著した『絵伝撮要』（宝永三年、一七〇六年刊）だといわれています。

なお、明治六年に太陽暦が採用されたことに際し、本願寺派では承安三年四月一日がグレゴリオ暦の一一七三年五月二十一日に当たることを確認して、この日を聖人の降誕日とし、応永二十二年二月二十五日の蓮如上人の誕生日を、一四一五年四月十三日としています。

第一幅目・第二図

「鹿子の御影」

応永二十七（一四二〇）年　季節秋

紅葉がきれいに色づく大谷本願寺にて、鹿子紋りの小袖を着られた六歳の布袋丸さま（蓮如さま）の姿を、絵師が描いています。幼い蓮如さまの横には、着物の袖で顔を覆われた、悲しげなお母さまがおられます。

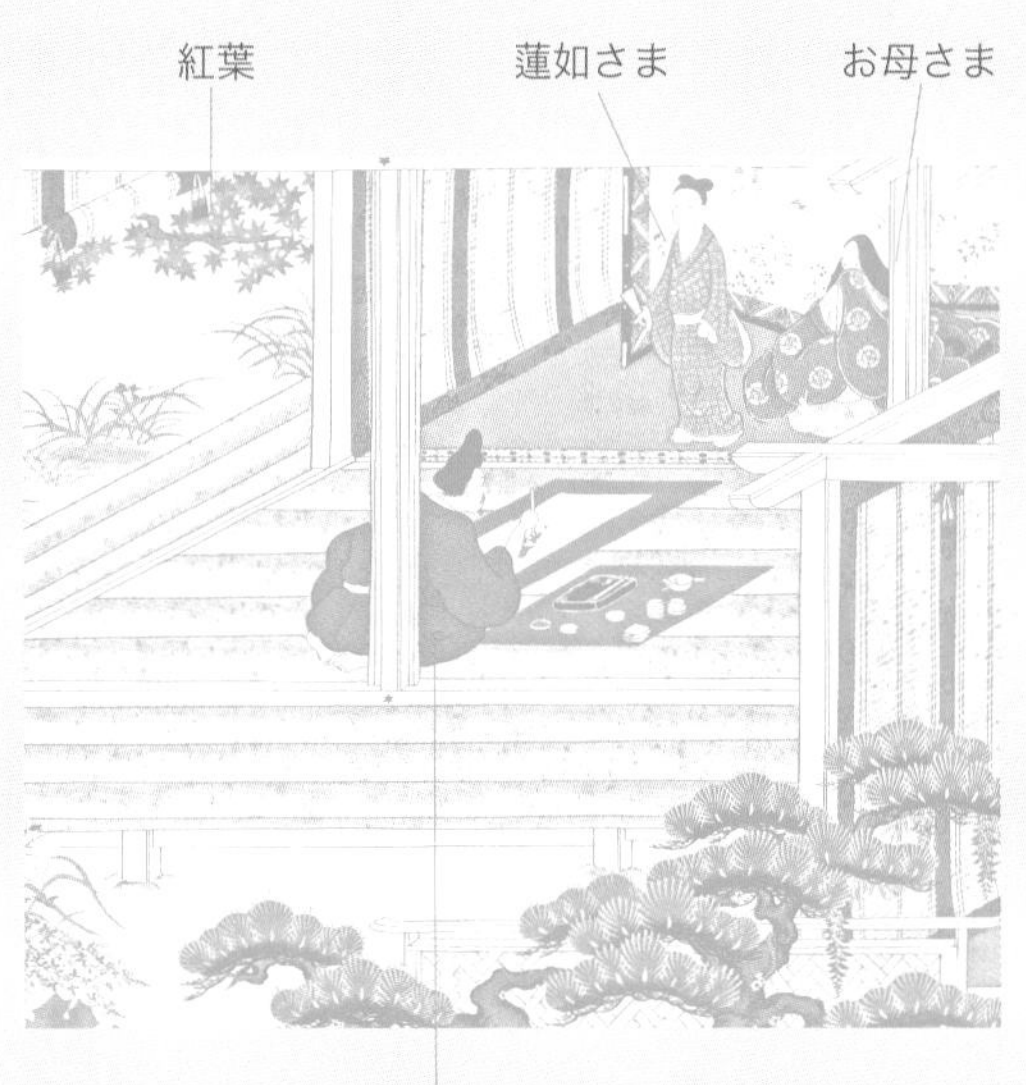

物語

小さなわが子を、悲しそうな目でじっと見つめる一人の女性がいました。蓮如さまのお母さまです。お母さまは、やがて自分がこの子の側から離れていかねばならないことを、覚悟しておられました。

蓮如さまが六歳になられた時のことです。当時、本願寺に出入りしていた一人の絵師に、お母さまがお願いをされました。

「どうか、この子の姿を絵に描いてもらえませんか?」

お母さまは、わが子の姿を絵師に書いていただきますが、幼い蓮如さまには、一体何のための絵なのか知るよしもありません。実はお母さまは、本願寺を出て行かれる用意をととのえておられたのです。愛するわが子との別れの時は、すぐそこまで迫っていました。

応永二十七（一四二〇）年十二月二十八日、蓮如さまにとって生涯忘れることのできない出来事がおこりました。お母さまが、あの時に描かれた蓮如さまの肖像画を胸に抱きしめながら、どこへともなく、忽然と姿を消されてしまったのです。蓮如さま六歳の時でした。

時は流れ、お母さまが姿を消されてから四十年余り経った頃、本願寺を継がれていた蓮如さまは、かつて六歳の頃に自分の肖像画を描いた絵師のもとを訪ねられました。そして残されていた下絵をもとに、あらためて同じものを描いていただくよう依頼されたのです。「確か鹿子の紋の小袖を着ていた」という蓮如さまの記憶によって、あらためて描かれたその肖像画は、「鹿子の御影」と呼ばれるようになりました。

蓮如さまは晩年、幼い頃のご自身の肖像画である「鹿子の御影」を、たびたび取り出されては居間に掛けられ、穏やかな眼差しでじっとながめておられました。目の前に掛けられている幼い頃のご自身の姿を通して、生涯忘れることのできないお母さまのことを、なつかしく思い出しておられたのでした。

コラム

鹿子の御影

蓮如上人六歳の頃の御影で、上人の生母が本願寺を去られる際に、鹿子紋りの小袖を着せて描かせたことから、「鹿子の御影」と呼ばれています。鹿子紋りとは、小袖に加飾する絞り染めの技法で、鹿の斑模様を連想させることから、このように称されています。

現在、遺されている「鹿子の御影」で最も古いものは、福井市藤島超勝寺（大谷派）の御影（立姿、兎型の髪）といわれています。これは蓮如上人の十二女・蓮周尼が、超勝寺第四代・蓮超と結婚される際に、持参した御影と伝えられています。

（写真　藤島超勝寺〈本願寺派〉所蔵　鹿子御影）

第一幅目・第三図

「生母との別離」

応永二十七(一四二〇)年十二月二十八日　季節冬

観音さまの姿になられた蓮如さまのお母さまが、雲に乗って去っていかれます。川面にうつる、お母さまの切ない表情が印象的です。その下では、何も知らない蓮如さまが、境内に積もった雪で、阿弥陀さまをつくられ合掌しています。

物語

わずか六歳の幼いわが子のことを思えば思うほど、未練（みれん）はつのるばかりです。しかしお母さまは自分がここに留まることは、わが子の将来のためにはならないと、強く心に決めておられました。

蓮如さまのお母さまは、存如さまの母君のおそば近くに仕えておられましたが、実はこの時、存如さまがご内室（ないしつ）として、如円尼（にょえんに）さまを迎え入れられることになったのです。蓮如さまのお母さまは、存如さまのご結婚が決まったことを見届けられた後、

「私はもうここに居ることのできる身ではありません」

そう言って、お供をつけることもなく、行き先を誰にも告げられずに、ただ一人姿を消されたのです。「なぜお母さまは私をおいて出て行ってしまわれたのだろう……」。幼い蓮如さまには、そのことを理解することはできませんでした。

お母さまとの突然の別れに、蓮如さまは深い悲しみにくれました。蓮如さまの身の回りのお世話をされていた方々も、幼い蓮如さまの置かれたあまりにつらい状況を思われて、涙を流し、ともに悲しまれました。

幼い蓮如さまには、お母さまから言われた忘れられない言葉がありました。お母さまは蓮如さまに、「あなたの一生のうちに、どうか親鸞聖人のみ教えが再興するよう尽してください」と言い残しておられたのです。

お母さまとのつらい別れと、お母さまの残されたこのお言葉は、蓮如さまの生涯に大きな影響を与え続けるものとなるのでした。

コラム

蓮如上人の生母

蓮如上人の生母に関する史料は、残念ながらほぼ残されていません。生まれは西国とも、豊後国（ぶんご）ともいわれていますが、それも定かではありません。幼くしてご自身のもとを去っていかれた母親を、上人は生涯慕い続け、探し続けられました。豊後へ人を遣わせて行方を探らせたり、また晩年、お母さまが備後国（びんご）におられるという情報が、京都四条大路にあった金蓮寺（こんれんじ）という時宗（じしゅう）の寺院から入った際には、側近であった空善（くうぜん）を調査に派遣し、母親を探す準備を整えます。しかし、結局見つけることはできませんでした。

母親に対する上人の強い想いは、周囲の方々に伝わることとなり、やがて上人の生母に対して、宗教性を帯びて語られるようにもなります。「蓮如上人のお母さまは、大津石山寺（いしやまでら）の観音菩薩の化身（けしん）である」とのエピソードが『蓮如上人御一期記（ごいちごき）』に、また「京都六角堂（ろっかくどう）の救世（くせ）観音菩薩の化身である」といった観音化身説が『蓮如上人遺徳記（いとくき）』に記されています。

第一幅目・第四図

「得度」

永享三（一四三一）年　季節夏

青蓮院（京都）にて、十七歳になられた蓮如さまが得度（剃髪）をされています。左には戒師である尊深さまの姿が、右手には蓮如さまを猶子とされた、広橋兼郷さまが見まもっておられます。

物語

永亨三（一四三一）年の夏の頃、十七歳になられた蓮如さまは、日野家の流れを汲む広橋兼郷さまに連れられて、青蓮院をたずねられました。兼郷さまは日野一門の有力者であられた方で、蓮如さまはこの方の猶子となって出家されたのです。日野家の猶子になることは、覚恵さまや覚如さまをはじめとする本願寺の前例がありました。

青蓮院は天台宗のお寺で、三千院・妙法院とともに、延暦寺三門跡の一つに数えられる大変由緒あるお寺です。そして何よりも、親鸞さまが出家・得度されたゆかりのあるお寺で、本願寺の歴代の宗主は、青蓮院で得度するのが当時の慣例となっていました。蓮如さまも、ここ青蓮院で出家・得度に臨まれたのです。蓮如さまの得度の戒師は、当時、青蓮院の門主であられた尊深さまであったと伝えられています。

僧侶となられた蓮如さまの胸には、かつて自分のもとを去っていかれたお母さまの言葉が響き続けていました。「どうか、親鸞さまの説かれたみ教えを再興してください」。蓮如さまはお母さまの願いの実現を、あらためて心に誓われるのでした。

この時の本願寺は青蓮院に属する小さなお寺で、教団としての勢力も大きなものではありませんでした。得度された後、蓮如さまは比叡山から本願寺へと戻られます。法名を「蓮如」と名のられ、浄土真宗のみ教えをはじめ、仏教諸宗のみ教えについてもさまざまに学んでいかれました。真宗興隆の志を胸に抱きつつ、蓮如さまはますます勉学にはげんでいかれるのでした。

コラム

親鸞聖人の得度の場所は？

親鸞聖人は養和元（一一八一）年、九歳の春の頃に、慈円の坊舎で出家・得度されたと伝えられています。一般的にその坊舎は、粟田口の青蓮院だったといわれています。青蓮院は天台宗の寺院で、三千院・妙法院とともに延暦寺三門跡の一つに数えられ、比叡山東塔の青蓮坊をその起源としています。青蓮院は皇族や摂関家が門主となる、いわゆる門跡寺院で、第三代の慈円の時代に隆盛を極めました。

しかし、養和の頃の青蓮院は比叡山上にあり、慈円の師であった覚快が住持でした。こうしたことから、親鸞聖人が慈円のもとで得度されたとすれば、そこは当時、慈円の坊舎があった三条白川坊であったと推察されています。ちなみに慈円は、後に天台座主に四回も就任することとなる、当時の台密の第一人者であり、『愚管抄』の著者や歌人としても知られています。

本願寺はかつて青蓮院に属していたこともあって、第十代・証如上人の代まで、本願寺の歴代宗主は、青蓮院で得度するのが慣例となっていました。

第一幅目・第五図

「大乗院修行」

詳細な年月日は不明　季節春

大乗院（奈良）の門跡であった経覚さまと対面して、蓮如さまが勉強されています。周りにはきれいな桜が咲きほこり、縁側には盆栽も置かれています。三匹の鹿も、元気に野山を駆けまわっています。

物語

本願寺で勉学にはげまれていた蓮如さまは、浄土真宗のみ教えを正式に学ばれるとともに、親鸞さまと同じ法然さまの門下であった、弁長さまの系譜を継ぐ浄土宗鎮西派や、証空さまの系譜を継ぐ西山派などのみ教えも学んでいかれます。

蓮如さまには、とても頼りにされていた方がいました。奈良の地にある法相宗の大本山・興福寺大乗院門跡であられた、経覚さまです。蓮如さまは経覚さまから倶舎の教えや、唯識の教えなど、仏教の大切なみ教えを、深く学んでいかれるのでした。

経覚さまのお父さまは関白・九条経教さま、そしてお母さまは本願寺出身の正林尼さまでしたので、蓮如さまとは浅からざる関係にありました。そんなこともあり、経覚さまは蓮如さまのことを心配され、とても可愛がってくださっていたのです。経覚さまとの交流は、その後、経覚さまが亡くなられるまで続くこととなります。

当時の蓮如さまの勉学は、大変なご苦労のなかでされていました。日が落ち、夜も更けてくると、あたりは段々と暗くなってきます。充分な油をえられない時は、勉強するための灯りなどはありません。そんな時、蓮如さまは黒木を焼いて油の代用とされました。「これくらいのことで学びを止めるわけにはいかない」、蓮如さまの並々ならぬ強い思いがそうさせていったのです。月夜の時は、月の光で勉学にはげまれることもありました。

それはやがて、蓮如さまが背負っていかれることとなる、親鸞聖人のみ教えの再興を果たし遂げていくための、大切な学びの日々だったのです。

コラム

興福寺大乗院門跡・経覚

『拾塵記』や『蓮如上人遺徳記』などの蓮如上人の事蹟を伝える書物には、上人が得度の後に、興福寺大乗院門跡の経覚のもとで、勉学にはげまれたと伝えています。関白・九条経教を父に、本願寺出身の正林尼を母にもつ経覚は、応永二年の生まれですので、上人より二十一歳の年長でした。

経覚が大乗院の門跡になったのは、応永十七年、興福寺別当に就任したのが応永三十三年の時です。その後、経覚は四度別当に就任しており、南都の仏教教団のリーダーとして活躍するとともに、将軍や管領などとの交流を通し、大いに政治的手腕も振るったといわれています。

また経覚の日記である『経覚私要鈔』には、当時の仏教界のことはもちろんのこと、政治や社会の動向が詳しく記されています。その中には本願寺に関する記述もあり、本願寺が比叡山の衆徒の攻撃を受けて破却された、いわゆる寛正の法難の際には、「亡母の里なり。嘆きても余あるものかな」と記しています。

第一幅目・第六図

「常楽台聖教書写」

詳細な年月日は不明　季節秋

常楽台（京都）で蓮如さまが机に向かい、お聖教の書写にはげまれています。蓮如さまの傍らには、空覚さまの姿があり、池には丸い月がうつり込んでいます。夜を通して、勉学にはげまれておられます。

物語

本願寺の第三代宗主をつとめられた覚如さまの長子に、学徳兼備の名僧として名高い存覚さまがおられました。存覚さまは多くの著述を書き残しておられますが、特に代表的なお書物として、親鸞さまの書かれた畢生の大著、『顕浄土真実教行証文類』（以下、『教行証文類』）の本格的な最初の註釈書であります、『六要鈔』を書かれています。存覚さまは晩年、常楽台という坊舎に住まわれ、八十四歳で往生されますが、常楽台にはその後、存如さまの弟の空覚さまが入られて、坊舎をまもっておられました。

蓮如さまは大変に勉強熱心で、さまざまなお聖教を読まれ、書き写していかれました。阿弥陀さまのお救いが説かれた仏祖や祖師方の書かれたお聖教のお言葉を、有り難いものと受けとめられ、浄土真宗のみ教えを深く味わわれていかれたのです。蓮如さまは常楽台にも足を運ばれ、存覚さまの書かれたお書物も徹底的に読破し、書き写していかれました。蓮如さまが、存覚さまのお聖教で特に大切にされたのが『六要鈔』です。蓮如さまは『六要鈔』について、「まことにこの書物は、親鸞さまのお心のはかり難い内容を解釈され、自力を捨てて、阿弥陀さまの他力を仰ぐという真意にかなうものです」とよろこばれています。そして存覚さまを、「大勢至菩薩の生まれ変わりである」と仰いでいかれたのでした。

親鸞さまの説かれた浄土真宗のみ教えを再興していくために、必死になって勉学にはげむ若き蓮如さまを、優しい眼差しで見つめる方がおられました。空覚さまです。「何かあったら、いつでも私のところへきなさい」。いつも親身になって支えてくださる空覚さまに見まもられながら、若き蓮如さまは真摯にお聖教と向き合っていかれたのでした。

コラム

存覚上人と『六要鈔』

存覚上人（一二九〇～一三七三）は初期本願寺教団の教学を、学問的に組織された学徳兼備の名僧として知られています。上人は八十四歳で示寂されるまでの間に、多くの著述を残されますが、特に代表的な著述として、親鸞聖人の畢生の大著である『教行証文類』の本格的な最初の註釈書、『六要鈔』を書かれたことは大変有名です。本鈔は存覚上人晩年の著作で、延文五（一三六〇）年、七十一歳の時に書かれています。

『六要鈔』には、私たちが浄土真宗の教えを学ぶ際、よく使用する用語が創出されています。二、三の例を挙げますと、浄土真宗の教判を示す際に用いる「二双四重」という用語や、『教行証文類』の各序で用いられる「総序」・「別序」・「後序」という名目は、存覚上人が『六要鈔』ではじめて用いられた用語でした。そう考えますと、現在の私たちも、少なからず『六要鈔』の影響を受けながら、浄土真宗の教えを学んでいることに気づかされます。

第一幅目・第七図

「存如上人と蓮如上人北陸修行」

宝徳元(一四四九)年　季節春

親鸞さまの遺跡に参詣(さんけい)される、三十代半ばの蓮如さま。右の図では、竹ノ内草庵跡(新潟)にお参りされています。左の図は、お父さまの存如さまとともに、厳しい山道を歩まれる姿が描かれています。

物語

蓮如さまは宝徳元（一四四九）年三十五歳の頃、お父さまである存如さまのお伴をして、北陸へと赴かれました。厳しい山道を前へ前へと進まれ、越前にあるさまざまなお寺をめぐっていかれました。そして加賀の地にまで足を運んでいかれます。

存如さまは加賀から京都へと戻られますが、蓮如さまはさらに旅を続けられました。越中、越後から関東や奥州にまで赴き、親鸞さまとご縁の深い、さまざまな遺跡へお参りされ、有縁の方々を教化していかれたのです。

当時、本願寺の歴代は親鸞さまのご修行（各地を遍歴すること）の例にならい、生涯に一度は関東や奥州にある親鸞さまの遺跡をたずね、親鸞さまのご苦労を身をもって偲ぶことが慣例となっていました。「この場所で親鸞さまが……」、親鸞さまとゆかりのある場所を訪れる度、蓮如さまの胸には、言葉に言い表すことのできない熱い想いが込み上げてきました。その想いが、厳しい旅を歩む蓮如さまを支えていったのです。

旅の道中は、ずっとわらじを履いての徒歩の旅です。わらじの緒が蓮如さまの足に食い込んでできた「わらじだこ」は、生涯を通して消えることはありませんでした。蓮如さまはこの旅を、これからも行いたいと思われ、その後も関東の各地をご自身の足で遍歴されました。

後世、蓮如さまはお子さまたちに、しばしばご自身の足をお見せになり、「このわらじの緒の跡こそ、私が仏法を説きひろめてきた証しなのですよ」とうれしそうに仰せになりました。

コラム

蓮如上人の東国への旅

本願寺の歴代宗主は東国へ下向し、親鸞聖人の旧跡を巡拝することが、当時、慣例となっていたようです。実際に蓮如上人も、東国にある各旧跡を巡拝したとの記録が遺されています。実悟上人の書かれた『拾塵記』は、以下のように伝えています。

本願寺の御住持は、親鸞聖人が関東へ伝道の旅に立たれた例により、必ず一代の間に一度、関東・奥州へ下向なされるのである。しかしながら、蓮如上人は一生の間に三度下向しようとのお考えであった。二度まではお考え通りに下向され、三度目には越中国瑞泉寺まで下向して戻られた。一番初めの時は奥州の下郡までのご下向であった。——この時は親鸞聖人の伝道の時の先例をまねられたのであろうか——徒歩の旅であったので、お供の人も一、二人と聞いています。お足に草鞋が食い入る跡がおありになって、ご往生の時も、足を出されて面々にお見せになり、このような辛労があったからこそ、いま皆が安らかにしていられることよ、とのお言葉がありました。

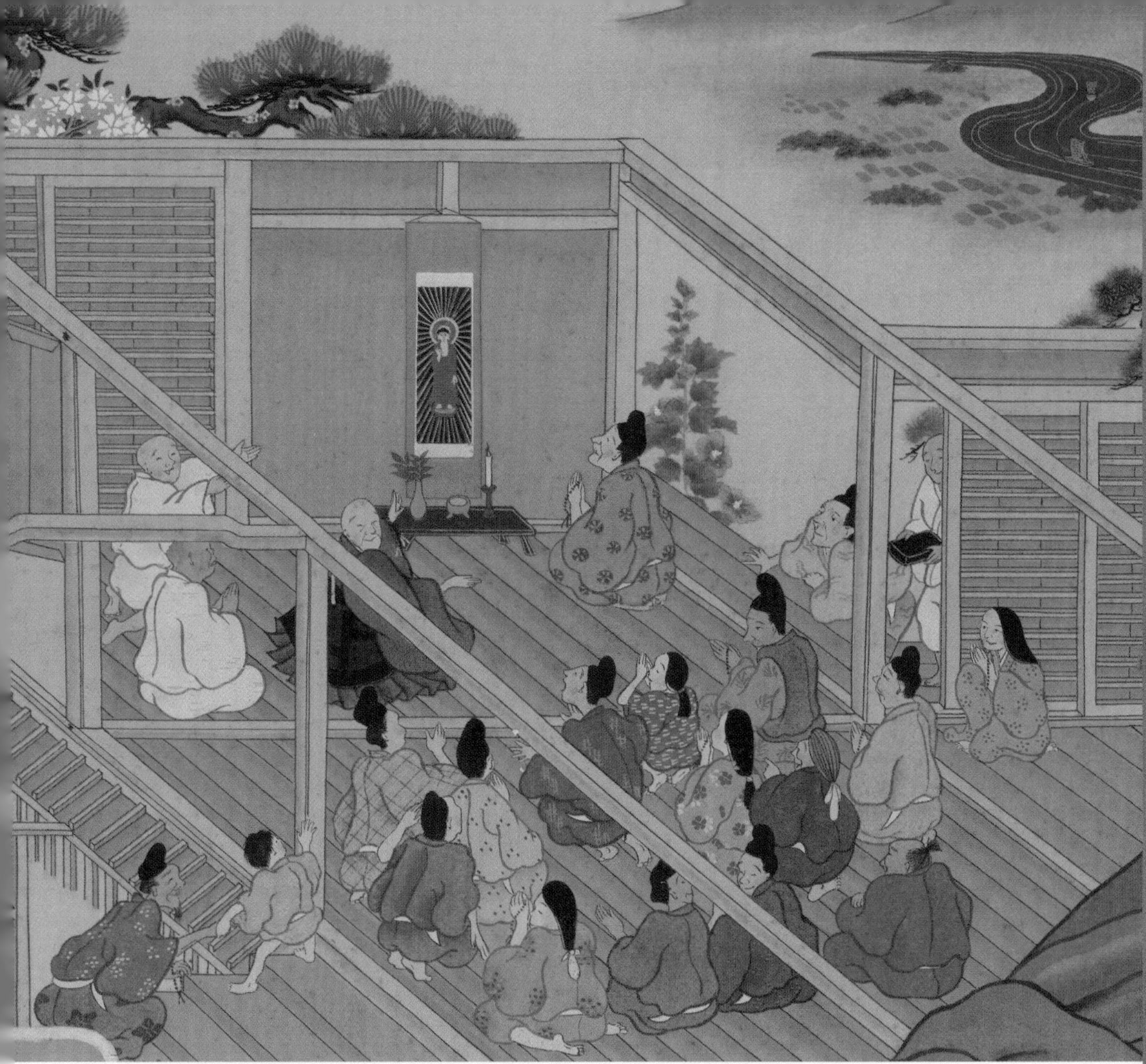

「存如上人と河内門徒」

康正三(一四五七)年　季節夏

河内（大阪）の慈願寺住職・法円さまが、存如さまからいただいたご本尊を、ご門徒へ披露されています。願主である心道さまをはじめ、多くの方々のうれしそうなお顔が印象的です。ご本尊の前には三具足のお荘厳も描かれています。

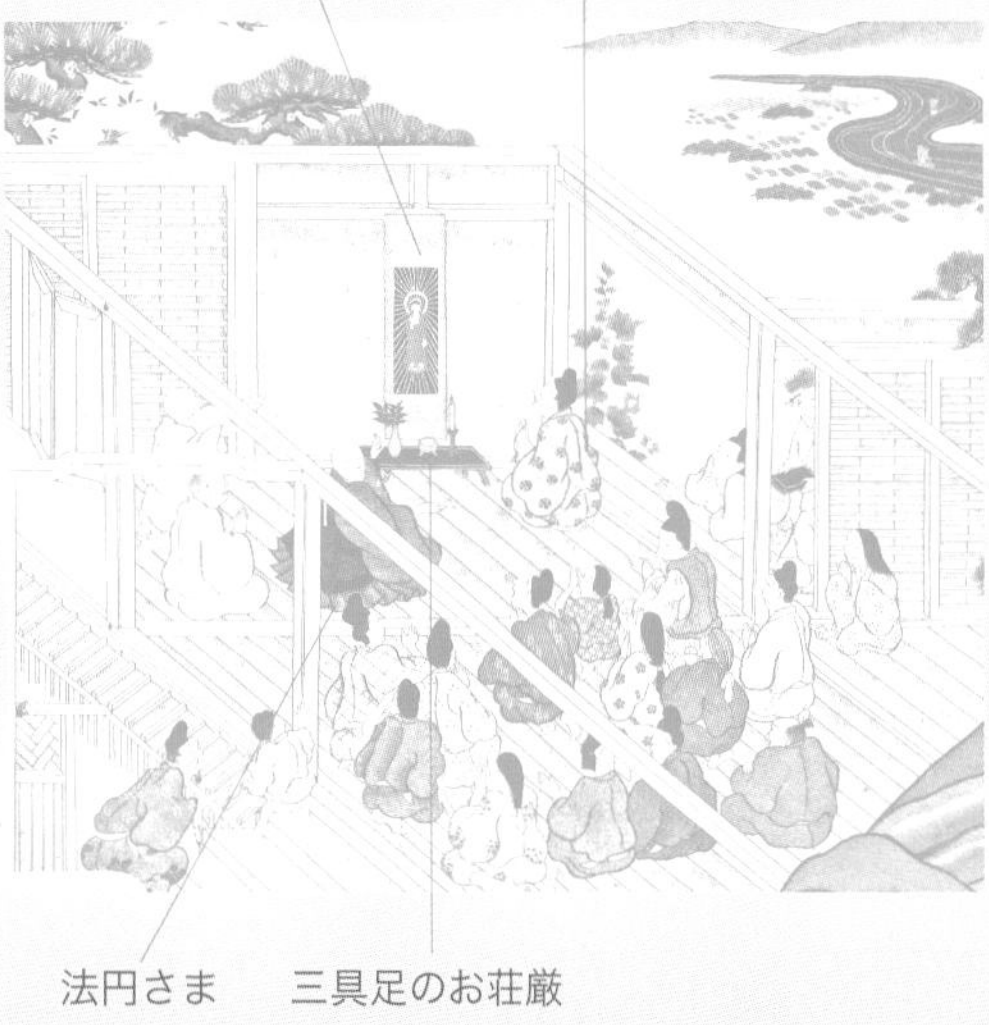

物語

蓮如さまのお父さまである存如さまは、本願寺第六代・巧如さまの長男として誕生されました。四十一歳で巧如さまから本願寺を継職された存如さまは、北陸を中心に浄土真宗のみ教えを伝えていかれます。もちろん、存如さまのご教化は、北陸だけにとどまることなく、飛騨や近江、そして河内にまで、ひろがっていくのでした。

河内国久宝寺村に慈願寺というお寺がありました。慈願寺は親鸞さまの門弟であった、信願坊法心さまが建てられたお寺です。法心さまは関東の稲田の草庵でご教化をなされていた親鸞さまと出会われ、浄土真宗の教えを大変よろこばれた方でした。この法心さまの建てられたお寺を、存如さまがご在世の頃に、まもっておられたのが法円さまです。

慈願寺には、心道さまという門徒がおられました。心道さまはつねづね、「ご縁をいただいている慈願寺に、ぜひとも存如さまから阿弥陀さまのお姿を描いたご本尊をいただきたい」と想っていました。心道さまはその想いをついに、法円さまに打ち明けます。

「法円さま、私が願主となりますので、慈願寺に阿弥陀さまのご本尊をお迎えできるよう、存如さまにお願いしていただけないでしょうか？　有縁の方々と一緒に、そのご本尊にお参りして、阿弥陀さまのお救いを聞きよろこばせていただきたいのです」

法円さまは心道さまの尊い想いに応えるべく、存如さまにご本尊をお願いされました。存如さまはすぐに、阿弥陀さまのお姿を描かれたご本尊を用意され、その掛け軸の裏側には、存如さまご自身のお名前と、「河内国渋川郡久宝寺慈願寺門徒　同国郡亀井　願主釈心道」と記されて、お渡しになられるのでした。

ご本尊を受け取られた法円さま、心道さまは大変よろこばれ、すぐに慈願寺にご本尊をお掛けになりました。

「ここに掛けられているお立ち姿の阿弥陀さまのお姿こそ、私たちを必ずお救いくださるお慈悲の心があらわされています。苦悩のなかに生きる私たちをご覧になり、じっと座っていることなどできないとお立ちあがりくださった、心配の極み、お慈悲の極みのお心が、『南無（まかせよ）阿弥陀仏（われに）』の六字となって、いまここに届けられているのです」

法円さまのお話を聞かれた、心道さまたちは、みな温かな気持ちになられ、口々に「なんまんだぶ、なんまんだぶ」と、阿弥陀さまのお慈悲の心をよろこぶお念仏を称えていかれるのでした。

第一幅目・第九図

「无㝵光本尊授与」

長禄四（一四六〇）年二月二十四日　季節春

法住さまが営んでおられた堅田（滋賀）の馬場道場に、蓮如さまから无㝵（無礙）光本尊（十字名号）が授与されました。无㝵光本尊の前には、僧侶や多くのご門徒がお参りされています。物珍しそうに、中の様子をのぞきこむ、子どもの姿もあります。

物語

近江湖南の地に堅田という地があります。堅田は琵琶湖の湖上交通の要衝の町として、大変繁栄していた場所です。この地には、本願寺を継職された蓮如さまを支えられ、思いを共にされていた、法住さまがいらっしゃいました。法住さまは蓮如さまをとても敬われ、お念仏の教えに深く帰依しておられた方です。

法住さまは、堅田の地で馬場道場といわれるお念仏の道場を営んでおられました。この道場には、漁師や商人や農民、武士といったたくさんの人びとが集われ、日々、お念仏の教えを聞きよろこばれていました。

道場の正面には、蓮如さまが授与された「帰命尽十方无㝵光如来」と十字で書かれた无㝵光本尊が掛けられています。蓮如さまはたくさんの名号本尊を書かれ、有縁の方々へ与えられていましたが、法住さまもその一幅をいただかれたのです。

「みなさん、阿弥陀さまという仏さまは、煩悩を抱え、苦悩のなかに生きる私たちを救いの目当てとしてくださり、必ずお救いくださる仏さまです。十方というありとあらゆるところに満ち満ちておられ、私の煩悩をこれっぽっちも碍りとされない仏さまです。そのことを教えてくださっているのが、この无㝵光本尊のお心なのです」

法住さまが、よろこびに満ちあふれたお顔で語られると、道場に集まり、法住さまのお話を聞いておられたお同行たちは、口々に「あぁ、阿弥陀さまは私たちのような、愚かな者をお救いくださる仏さまでありましたか。もったいないことです。ありがたいことです。なんまんだぶ、なんまんだぶつ」と、お念仏を称えられるのでした。

蓮如さまが授与された无㝵光本尊は、多くの方々の依りどころとなり、そのご教化は、ますますひろがっていくのでした。

コラム

本尊の制定

本願寺を継職された蓮如上人は、本尊の制定に臨まれます。当時、問題となっていた善知識（師）を依りどころにする過ちを指摘され、本尊への帰依を求められたのです。そして、本尊を安置した寺院や道場を中心とする組織を目指していかれたのでした。

蓮如上人は、「『帰命尽十方无㝵光如来』をもつて真宗の御本尊とあがめましましき」（『改邪鈔』）とおっしゃった覚如上人以来の本願寺の伝統を重視され、「帰命尽十方无㝵光如来」の十字名号を本尊に選ばれます。蓮如上人が本尊として用いられた十字名号の体裁は、金泥の籠文字（ウツボ字）で「帰命尽十方无㝵光如来」と十字の名号をし、截金の四十八本の光明を配したもので无㝵光本尊とよばれました。その為、上人のもとに集う人々は、无㝵光宗ともよばれるようになります。

ただし、この无㝵光本尊が本尊の代表的な地位を占めた時期は、長禄・寛正期の十年ほどで、寛正の法難以降は、无㝵光本尊の数は減少し、六字名号の本尊を多く作成して、授与していかれることとなります。

第一幅目・第十図

「御文章作成」

寛正二（一四六一）年三月　季節春

大谷本願寺の一室で、蓮如さまが向き合っておられるのは道西さまです。蓮如さまは道西さまに、一通のお手紙を書かれました。『御文章』です。『御文章』の内容を聞かれた道西さまは、よろこびのあまり、頭をたれて、掌をあわされています。

蓮如さま　蓮祐尼さま　実如さま

道西さま　蓮如さま

物語

寛正二（一四六一）年の三月、蓮如さまは一通のお手紙を認められました。宛先は、近江の国の湖東、金森に住んでいた道西さまでした。道西さまは存如さまの時代から本願寺と関係があり、堅田の法住さまとともに、蓮如さまのことを深く信頼し、支えていかれた方です。

蓮如さまのお手紙には、浄土真宗のみ教えが、誰にでも分かるように易しく説かれていました。決して難しい学問的な内容ではありません。あたたかな阿弥陀さまのお慈悲のお心を、多くの方に受けとめていただけるよう、蓮如さまのゆきとどいたお心の詰まったものでした。

蓮如さまは、

「この手紙を有縁の方々に読み聞かせていけば、浄土真宗の間違いのないお救いを、きっと受けとめていただくことができるだろう」

と、道西さまにおっしゃいました。

道西さまは、

「懇切丁寧にお示しくださってありがとうございます。このように浄土真宗のみ教えを易しく教えていただいて、果して領解できない人がおられるでしょうか」

と、感激されました。

お手紙には、

「在家の者は在家のまま、阿弥陀さまの本願の仰せにおまかせし、疑いなくたのむ信心を恵まれた時、摂取不捨という間違いのない救いのなかにつつまれていくのです。そして口に称えるお念仏は、阿弥陀さまの救いをよろこぶ仏恩報謝のお念仏なのです」

といわれ、浄土真宗の教えの要である「信心正因・称名報恩」のお心が説かれていました。

道西さまは、

「このお手紙こそ、有り難いご法語であり、お聖教です」

とおっしゃいましたが、蓮如さまは、

「いやいや、そんな風に言わないでください。ただやさしく『ふみ』と言ってください」

とお応えになられました。この「ふみ」という言葉から、『御文』や『御文章』とよばれるようになったのです。

蓮如さまの書かれたお手紙によって、浄土真宗のみ教えは、天変地異におびえ、いつどうなるか分からない、無常のいのちを生きている多くの民衆の心のなかに、染み入るように響き込んでいくのでした。

第一幅目・第十一図

「寛正の大飢饉」

寛正元(一四六〇)年~寛正二(一四六一)年

京の都を襲った、すさまじい飢饉の様子が描かれています。無数の遺体が横たわるなか、小屋のなかではお粥をつくって施しをしたり、河原では読経をしている僧侶の姿が見られます。当時の厳しい状況を、うかがい知ることができます。

読経する僧　施しをする僧

物語

寛正元（一四六〇）年から寛正二年にかけて、京の都をはじめとする各地で大飢饉がおこりました。都には多くの難民が押し寄せました。食事を充分に取れずに息絶えていかれた多くの方々の遺体が、いたる所にころがっているような有様です。四条坊の橋の上から上流を見ると、そこには沢山の遺体が、石の塊を積み重ねたようにして、川の流れをせき止めていました。そのせいか、鼻をつく臭いがあちこちから放たれ、京の都には屍臭が充満していました。

ある僧は、せめてもの供養にと、八万四千枚の卒塔婆を用意して、河原にうち捨てられた遺体に一枚ずつ置いていきました。二ヶ月間で手元にあまったのは二千枚だけでした。京の都だけで、わずか二ヶ月間の死者が、八万二千人にものぼったのです。

本願寺を継職された蓮如さまの胸には、期するものがありました。「何という現状、

自分にできることは一体何なのか……」。厳しい現実の中にある、民衆の方々を目の当たりにされながら、蓮如さまは深く考えられました。「私にできることは、親鸞さまがお示しになった、阿弥陀さまの本願の救いを説くより他はない。いま命の危険にさらされている方が目の前におられるからこそ、ただいまの間違いない救いを与えてくださる、阿弥陀さまのお慈悲のお心を伝えていかねばならない」。蓮如さまのお心は決まりました。

命の危機に瀕している、まさに地獄のような状況のなかにあって、蓮如さまは人びとの心の依りどころとなるよう、无导光本尊を縁ある方々へ授与していかれたのです。そして、阿弥陀さまの本願の救いを記されたお手紙（『御文章』）を書かれ、多くの方々へ阿弥陀さまのお心を伝えていかれました。蓮如さまの行なわれたこのような活動は、今日とも知らず明日とも知らない、無常のいのちを生きている人々にとって、何よりの生きる希望となり、支えとなっていったのです。

コラム

蓮如上人と一休禅師

寛正二年は、親鸞聖人の二百回忌に当たる年でもありました。この二百回忌の法要に本願寺へ参詣し、ある方が歌を詠まれたという逸話が遺されています。その方こそ、とんちで有名な一休禅師（いっきゅうぜんじ）です。一休禅師は臨済宗大徳寺派（りんざいしゅうだいとくじは）の禅僧で、室町期に活躍された方です。逸話によれば、一休禅師は二百回忌の法要が勤まる本願寺へ参詣され、

襟巻きのあたたかそうな黒坊主
　こやつが法は天下一なり

という一首を詠まれたといいます。前半の部分は親鸞聖人のことを指し、後半部分は親鸞聖人の説かれた浄土真宗の教えのことを指しています。一休禅師は浄土の教えにも、大変理解が深かったともいわれていますが、残念ながら、この逸話を記録する確実な文献は遺されていません。

しかし、同じ時代、同じ場所に生きた、日本仏教界を代表する二人の偉大な人物に、もしかして交流があったのでは、と想いを馳せるのも、歴史をみていく楽しみの一つではないでしょうか。

第一幅目・第十二図

「大谷破却」

寛正六(一四六五)年　季節春

蓮如さまの伝道活動を、こころよく思っていなかった比叡山の僧兵たちの手によって、大谷本願寺は打ち壊されてしまいます。扇で顔を隠された蓮如さまは、伊尾毛尉(いおけのじょう)というご門徒とともに、何とか本願寺を脱出していかれます。

物語

蓮如さまの布教活動によって、浄土真宗のみ教えは近江の地を中心に、どんどん広がりました。しかしその様子を、苦々しく見ている人たちがいました。比叡山延暦寺の僧兵たちです。当時の本願寺は、比叡山（天台宗）の青蓮院に属する一寺院でもありましたので、比叡山からすれば、自分たちの信仰を乱す危ない存在とみていたのです。

「本願寺の蓮如という男は、无㝵光宗という一宗を立てて、どんな悪行をおかしても、念仏さえ称えれば、極楽へ往生できるといって、愚かな民衆をそそのかしているらしい。まさに仏敵。これ以上、身勝手な行為を許すわけにはゆくまい」

寛正六（一四六五）年一月、武装した比叡山の僧兵たちが、突如、本願寺へ乱入してきたのです。以前から、比叡山の不穏な空気を察しておられた蓮如さまは、襲撃を警戒されていましたが、まさかこんなにも早く襲撃されるとは思ってもいませんでした。

その日は、たまたま堅田から、伊尾毛尉という桶屋の門徒が本願寺へ来ていました。尉が桶をこしらえて外へ運び出すところに乗じ、蓮如さまはお供になりすましながら本願寺を何とか脱出されました。その後、定法寺という近くのお寺へ避難され、事無きをえたのでした。

この襲撃から二ヶ月後、本願寺は比叡山の僧兵たちからの襲撃をふたたび受け、徹底的に破壊されてしまいました。こうなることを予期されていた蓮如さまは、すでに本願寺を出られていました。この情報は奈良の経覚さまの許にも届くことになり、「比叡山から軍勢が出向き、本願寺はことごとく破却されたとのこと、まことに気の毒なりゆきです」と、深く悲しまれたのでした。

「本願寺が襲われた」との一報を聞かれた道西さまは、蓮如さまのことを心配され、あちこちを尋ね探されて、ようやく再会をはたされました。道西さまは蓮如さまとお会いするなり、涙を流してよろこばれ、「何と有り難いことでしょう、蓮如さま、あなたがご無事であれば、浄土真宗はますます繁盛していくことに違いありません」とおっしゃいました。

道西さまのお言葉通り、本願寺を出られた蓮如さまのご教化は、ますます盛んになっていくのでした。

第一幅目・第十三図

「近松坊舎に御真影」

文明元（一四六九）年　季節春

大谷本願寺が破却された後、御真影と蓮如さまが、ようやく落ち着かれた場所が近松坊舎です。厨子に安置された御真影の前には、蓮如さま、蓮祐尼さま、道西さま、法住さまたちが座っておられます。

御真影　蓮如さま　蓮祐尼さま

道西さま　法住さま

物語

本願寺を出られた蓮如さまは、摂津や河内の道場を回られ、有縁の方々へお念仏の教えを説き広めていかれました。その後、道西さまの招きもあって、金森の地へとお越しになりました。

しかし、蓮如さまの行方を追って、比叡山からは、度々追っ手が差し向けられます。比叡山のお膝元である地域に、お念仏のご縁で結ばれた、浄土真宗の門徒の集まりが増えていくことを恐れたからです。

「決してむやみな乱暴をはたらいてはならない」。蓮如さまはつねづねおっしゃっていました。しかし、蓮如さまのお心とは反対に、金森の門徒たちは自らを護るため、そして蓮如さまをお護りするために、比叡山との戦いの準備を進めていかれるのでした。

「私がここにいることは、もはや争いの元となってしまう。はやくここから立ち去るべきだ」。そう決意された蓮如さまは、金森を出発されました。近江にあった門弟達の道場を転々とされた後、堅田へと移られます。本願寺の御影堂に安置されていた、御真影も、難を逃れるために京都や近江の地を転々とされてましたが、蓮如さまと同じく、堅田の地へご動座されることになりました。応仁元（一四六七）年二月のことです。この年の報恩講は、堅田の法住さまの道場にて蓮如さまご出座のもと、盛大に勤められました。堅田の門徒衆は大変よろこばれ、無数の参詣人のお念仏の声が、堅田の地に大いに響きわたったのでした。

しかし、ようやく訪れた平穏な日々も、そう長くは続きませんでした。ここ堅田にも比叡山から襲撃ありとの一報が入ったのです。蓮如さまは御真影とともに、急ぎ大津の地へと移動されました。大津の地には、堅田門徒の一人であった道覚さまの道場がありました。道覚さまは、園城寺の万徳院に仕えておられた方で、ここなら園城寺の庇護が期待できると思われたからです。

園城寺は天台宗寺門派の本山のお寺ですが、山門派の本山である比叡山との関係は、かねてから良好ではありませんでした。しかしさすがの比叡山の僧兵も、園城寺にまで手を出すことはできません。蓮如さまは、園城寺の南別所の近松に坊舎を建てられ、御真影を安置されました。文明元（一四六九）年の春の頃です。

この坊舎は近松御坊とよばれ、後に顕証寺と呼ばれることとなります。現在、大津市にある近松別院はその遺跡となっています。

【特集3】
蓮如上人の絵伝

四夷　法顕

一　蓮如上人絵伝の分布

「絵伝」とは、図絵を付した高僧などの伝記のことで、「御絵伝（ごえでん）」ともよばれている。親鸞聖人絵伝（以下、宗祖絵伝）は宗祖の御命日法要である報恩講の際に全国の寺院で奉懸（ほうけん）され、宗祖の生涯がまとめられた『御伝鈔』が拝読されている。この特集では本願寺第八代宗主・蓮如上人の絵伝について解説していくが、蓮如上人絵伝（以下、蓮如絵伝）に関してこれまで真宗史や美術史の観点からはあまり注目されておらず、研究対象にもなっていなかった。そのような中で、蓮如上人五百回遠忌の法要記念として真宗大谷派の調査研究班から『蓮如上人絵伝の研究』が刊行され、全国に存在する蓮如絵伝の調査や史実・伝承について報告・考察がなされた。以下、それらの先行研究に拠りながら、蓮如絵伝の特徴などについてまとめていきたい。

まず、蓮如絵伝の所在について蒲地勢至（がまいけせいし）氏が確認したもので一四四点（一九九四年に発表された数であり、その後も絵伝は新たに制作・発見されているため、二〇二〇年現在の数はさらに増えている）にのぼり、これらの所在地を県別に整理すると興味深い事実が指摘されている。絵伝自体は北海道から鹿児島まで所在しているが、所在地域に偏在性が認められるのである。すなわち、愛知県の三十六点を筆頭に、石川県が二十一点、福井県が十四点、滋賀県が十三点と続き、この四県以外はそれぞれ十点未満に過ぎない。地域別でみても、愛知・岐阜・三重で四十五点、福井・石川・富山・新潟で五十点となり、東海・北陸地方だけで全体の約六五パーセントの絵伝が集中しているというのである。無論、これら一四四点の絵伝がすべてではなく、蒲地氏による調査では真宗大谷派寺院が中心となっており、本願寺派寺院をさらに精査すれば、数は追加されていくと言われている。

　それでは蓮如絵伝の所在地にはなぜ偏在性がみられるのであろうか。これはその地域で蓮如忌が盛んに行われているか否かによって分布が異っているものと考えられている[1]。宗祖の報恩講に絵伝を奉懸するように、蓮如上人の御命日法要である蓮如忌にも蓮如絵伝が奉懸され、遺徳が讃えられている。そのため蓮如忌が行われている地域では、上人の教化や伝承が大きく反映されている。東海では三十六点の絵伝のうち、三十点が三河地方に集中しているが、上人にとって三河は縁の深い地域であった。この地には三河門徒とよばれる宗祖の教えを伝える門徒集団があり、延暦寺の衆徒が堅田を攻撃した際に事件の解決に尽力した佐々木の上宮寺如光がいた。上宮寺は元々真宗高田派に属していたが、如光が蓮如上人に帰依して本願寺に属するようになり、針崎の勝鬘寺、野寺の本証寺、桑子の妙源寺といった高田派の有力寺院も本願寺に帰参するようになった。三河にはこのような上人の伝承を有する寺院が多く、この地では盛んに蓮如忌が行われてきたのである。

　また、北陸についても文明三（一四七一）年に蓮如上人が越前吉崎へ進出して以降、加賀・能登・越中はもとより、遠くは信越・奥羽などの北国諸国へ教線が拡大していった。吉崎は元々「年来虎狼のすみなれし」土地であったと上人自身が言われており、家など一つもない場所であったが、上人が吉崎を北陸伝道の拠点にしてからわずか数年で一大宗教都市のごとく爆発的に発展していくのであった。

　県別で見ると、絵伝の所在が福井県に次ぐ滋賀県も蓮如上人の伝承が残る多く地域である。上人は吉崎に向かう前、宗祖の御真影（御木像）を京都から大津三井寺の南別所、近松の坊舎に安置した。当時、教線を広げていく本願寺を快く思わない比叡山衆徒による難を避けるためであった。尚、この近松坊舎が後に「顕証寺」という寺号のルーツとなる。

　このように蓮如上人によって伝道がなされ、あるいは上人の伝承が濃厚な地域では蓮如忌が盛んに行われるようになり、その為に蓮如絵伝が制作されたのではないかと考えられる。確かに京都・大阪にも蓮如上人の伝承が多く残されているが、絵伝の数が少ないのは、地域的に蓮如忌が盛んであったか否かが関連しているのではないかと蒲池氏は指摘している。[2]宗祖絵伝の場合、全国的に報恩講が勤められているが、蓮如絵伝は蓮如忌の盛行と関連しているため分布に偏重がみられるのである。

二　蓮如上人絵伝の成立年代

蒲池氏の調査によると、成立年代がわかる蓮如絵伝のほとんどは裏書や箱書などによって、上人の三百回忌から四百回忌の百年間に成立しているとされている。この時期に多くの蓮如絵伝が成立している理由については、『蓮如上人遺徳記』『蓮如上人御一代記聞書』『蓮如上人略伝』『蓮如上人御一生記』『蓮如上人縁起』『蓮如上人御物語』などといった蓮如伝が三百回忌までに既に成立し流布していたことが関連しているのではないかと指摘されている。[3]加えて、二百回忌の元禄十一（一六九八）年に上下二巻の『蓮如上人伝絵』が作られている。小山正文氏によれば、この書の原本は実玄大僧都諱兼智の撰述であるが、事実上は出口光善寺の常顕の作であるとされ、さらに本書は最古の蓮如伝絵詞で、文辞・構成ともに『親鸞伝絵』にならったものと指摘している。[4]宗祖の報恩講で『御伝鈔』が拝読されているように、蓮如忌においてもこの『蓮如上人伝絵』が拝読されていたのである。このような近世蓮如伝の流布と各寺院における蓮如忌が相俟って三百回忌頃の蓮如忌には多くの門徒が参詣していたと思われ、このような状況を受けて蓮如伝や各地域の蓮如伝承が絵画化されて次々と蓮如絵伝が成立したのではないかと推測されている。[5]ちなみに蓮如絵伝の成立について問題となるのが、長野の勝楽寺本の存在である。勝楽寺本の問題点については蒲池氏が詳細に論じており、[6]その論攷をまとめると、勝楽寺本の奥書には「天正九年」（一五八一）とあることから、上人の五十回忌（一五四八）から百回忌（一五九八）の間に成立したことになり、他の絵伝のほとんどが三百回忌以降であるのに対して成立があまりに早すぎる。また、一般的には宗祖絵伝は本山より下附される公的なものであるため歴代宗主の裏書があるが、蓮如絵伝にはそれがなく、ほとんどは各寺住職や坊守が願主となり、一般門徒が寄進したものとする裏書になっている。この裏書が意味するところは、蓮如絵伝は門徒志願による私的に制作された絵伝であったということである。そのような性格を有する蓮如絵伝であるが、勝楽寺本には顕如上人による本山下附という公的な裏書を有しているのである。さらには、絵相の内容が特定寺院の縁起絵伝といったものではなく、三百回忌以降のものと同じ絵相が多く描かれているという。例えば勝楽寺本には「嫁威しの肉附き面」や「腹籠の御聖教」といった伝承が描かれている。絵相の内容については、顕証寺本にも描かれているため本書の解説編を参照されたいが、これらの伝説的な伝承は近世に成立したものと考えられており、その点からすれば勝楽寺本の裏書にある天正九年の成立には疑問が生じることになる。この点について沙可戸弘氏は、

> 勝楽寺本『蓮如上人絵伝』には、天正九年、千五百八十一年、四月十四日付の顕如上人の裏書がございます。従って「嫁威説話」の蓮如上人伝へのとりこみもまた、中世にまで遡ると考えられてきたのでありますが、この勝楽寺本絵伝について、京都国立博物館の下坂守氏が、描かれている女性の髪型、帯の巾から見て、近世後期の絵である、と考証しておられます。少なくとも、勝楽寺本蓮如上人絵伝は、裏書とは別のものである、と考えられるのであります[7]。

と述べている。蓮如絵伝の成立について、最初期のものであれば中世末期の裏書や描き方などによって中世末期の絵伝も確認されているが[8]、ここでは少なくとも蓮如上人三百回忌が画期となっているという報告に留めておきたい。

三　蓮如上人絵伝の性格

蓮如絵伝には遺跡寺院の縁起を中心とした一幅・二幅本系のものがあるが、一番数が多いのは基本形態の四幅本で蓮如上人の生涯が描かれているものである。顕証寺本も四幅本となっている。内容については、おおよそ誕生から往生・荼毘までの一生涯が描かれ、その間の出来事として母との別離・修学・比叡山衆徒からの弾圧・吉崎進出・出口光善寺・大坂御坊建立などといった伝記が絵画化されている。さらに、こ

れらの中に蓮如上人にまつわる伝説や伝承が挿入されているのである。しかし、蓮如絵伝は同じ場面が描かれていたとしても、絵伝によって絵相の展開と構成が異なっている。宗祖絵伝の場合、本山から下附された公的なもので『御伝鈔』に沿って制作されているため、絵相と構成はすべて統一されている。一方の蓮如絵伝は、各寺院で私的に制作されたものであるため、構成も所有するそれぞれの寺院の絵伝によって特徴がみられる。蒲池氏は蓮如絵伝における基本的な絵相と展開を挙げつつ、さらにその中で三つの系統に分類されているが、詳細については『蓮如上人絵伝の研究』所収の論攷を参照されたい[9]。宗祖絵伝と異なり、特殊な性格を有する蓮如絵伝であるが、最大の特徴はその地域や寺院において伝承されてきた、独自の蓮如伝説を絵伝に取り入れている点であろう。例えば金沢市の明現寺本には「を亭山」「母に出家をこう」という二段の寺院縁起が描かれており、福井県大野市の最勝寺本にも、当時の住職が上人の昵近であったので、上人が寿像を描いて讃を染筆されたという縁起が一段に描かれている。そして今回の顕証寺本にも特徴的な場面がいくつか取り込まれている。一つ例を挙げれば、第三幅・第十二図に「大蛇の御救済」という伝説が描かれている。伝承によれば、大坂（石山）本願寺が建立された直後のある夜、蓮如上人の夢に現れた女性が過去世の報いにより大蛇に変えられて苦しんでいると訴えたところ、上人が誰でも救われていく阿弥陀如来の本願のこころを説き、この女性を救済したという。女性（大蛇）は喜んで「後世の人々に我が身をさらして見せしめとしてください」と言い残して帰っていった。その後、大蛇が住んでいたという難波潟に屍が浮かんでおり、その蛇骨が顕証寺へと移されたというのである。このように、蓮如絵伝には構成が統一化された宗祖絵伝とは異なり、その地域や寺院における独自の伝承が場面化されているのが大きな特徴と言える。そこで注目すべきは蓮如上人には顕証寺の大蛇伝説のような一見奇異にみえる伝承が多く残っていることである。その事実は、蓮如上人が単なる史実の人物だけに留まらず、市井の人々にとって上人が身近な存在として語り継がれてきた事の証左といえよう。また、これらの伝承の根底に流れているのは「弥陀の大悲」という点も忘れてはならない。蓮如上人の伝承に関して、上人のお供をしていた法敬坊との次のような法語が遺されている。

> 法敬坊が蓮如上人に、「上人のお書きになった六字のお名号が、火事にあって焼けたとき、六体の仏となりました。まことに不思議なことでございます」と申しあげました。すると上人は、「それは不思議

なことでもない。六字の名号はもともと仏なのだから、その仏が仏になられたからといって不思議なことではない。それよりも、罪深い凡夫が、弥陀におまかせする信心ただ一つで仏になるということこそ、本当に不思議なことではないか」と仰せになりました。

（『蓮如上人御一代記聞書』（現代語版）、本願寺出版社）

とあるように、奇瑞（きずい）の中に広がる世界を読み解いていくことの大切さを上人自身が教えてくれている。蓮如絵伝とは上人の生涯や人柄は勿論、そこに描かれた様々な伝承を通して、我々のはからいを超えた不可思議なる弥陀の大悲を知らせんがために、先人たちによって紡がれた物語であると言えるのではないだろうか。

注

〈1〉蓮如絵伝の所在の分布・偏在性の考察については、蒲池勢至「蓮如上人絵伝の系譜」（蓮如上人絵伝調査研究班編『蓮如上人絵伝の研究』所収、一九九四年）を参照した。

〈2〉蒲池（一九九四）

〈3〉蒲池（一九九四）

〈4〉小山正文「真宗諸絵伝の成立と展開」（前掲『蓮如上人絵伝の研究』所収）

〈5〉蒲池勢至「蓮如絵伝と伝説の成立」（『真宗研究』第三十三輯、一九八九年）

〈6〉蒲池（一九八九）

〈7〉沙加戸弘「真宗道場の法座における蓮如上人伝の展開」（『仏教文学』第三十四号、二〇一〇年）

〈8〉蒲池（一九九四）によると、滋賀県大津市の等正寺本（二幅）は円如真筆で「蓮如上人近江御遭難之伝」と伝えられるもので、描き方からして中世末期のものとされる。また、新潟県上越市の本覚坊の一幅も同時期のものと推測されている。

〈9〉蒲池（一九九四）

第二幅

第二幅・第一図

「久宝寺に径回」

文明二（一四七〇）年二月二十八日　季節春

蓮如さまが八尾（やお）の風景を詠った和歌を板戸に書いています。となりの部屋には蓮如さまが慈願寺法円さまに下附された楷書の六字名号が掛けられています。

物語

蓮如さまはお念仏のみ教えをお伝えする中で、早くから河内方面に注目されて幾度となく布教に訪れていました。この時期、蓮如さまは吉野方面にも出向いておられ、その途中で久宝寺に立ち寄り、旅の疲れを癒されたのでしょう。そしてその際、二首の和歌を詠まれました。

くる春もおなし　木するゑをなかむれは
いろもかわらぬ　やふかきの梅

年つもり　五十有余をおくるまで
きくにかわらぬ　鐘や久宝寺

春には変らぬ色で咲く梅の花、いつ聞いても心に染み入る鐘の音、久宝寺にはいつ来ても変わらない景色が広がっていました。今を去ること数年前、本願寺は比叡山の僧兵によって討ち壊されるという憂き目にあっていました。京都・滋賀では比叡山との関係がくすぶって予断を許さないなか、蓮如さまにとって久宝寺は心休まる場所だったのでありましょう。

また、河内には門弟の慈願寺法円さまがいました。蓮如さまはご自身が書かれた「南無阿弥陀仏」の六字名号を法円さまに下附されており、法円さまを厚く信頼していたのです。なお、この時の六字名号は楷書で書かれており、草書の六字名号を多く書かれた蓮如さまにとっては大変めずらしいものです。「河内の地にお念仏の声を」と思い立たれた蓮如さまは、法円さまを伴って久宝寺の地で布教活動を始められました。

コラム

蓮如上人と名号本尊

名号本尊には十字名号（帰命尽十方无导光如来）、九字名号（南無不可思議光如来）、八字名号（南無不可思議光仏）、六字名号（南無阿弥陀仏）等があります。親鸞聖人は十字名号を最も多く遺されましたが、蓮如上人は草書の六字名号を圧倒的に多く遺されています。もっとも、上人は宗祖以来の伝統を受けて大谷破却（寛正の法難）までは十字名号を下附されることが多かったようです。しかし、当時の比叡山から「无导光衆」と非難されたことを受け、社会的摩擦を受けにくくするために非難の由来となった十字名号から六字名号に切り替え、なおかつ吉崎進出以降はより多くの門徒に名号を下附する必要があったことから、筆の運びが早い草書の六字名号を最も多く書かれたと考えられます。

上人はご生涯で三十万以上もの六字名号を書かれたといわれ、中には莚の上で書かれたことにより、墨跡が虎斑のようにまだらになっている「虎斑の名号」という大変めずらしい名号も遺されています。

第二幅・第二図

「吉崎へ」

文明三（一四七一）年　四月初旬

琵琶湖の西岸をお供を連れて北陸へ移動されています。蓮如さまは比叡山からの襲撃という逆縁をもろともせず、阿弥陀さまのご法義を伝える旅に出かけられました。

物語

文明三（一四七一）年初夏の頃、河内・三河から大津の近松坊舎に戻られた蓮如さまは、先の比叡山による襲撃から今後の伝道の事を思案されていました。「思えば、親鸞さまがご流罪によって越後へ赴かれていなければ、田舎の人々はどのようにしてお念仏に出遇うことができたでしょうか。たとえつらい出来事があったとしても、それもまた阿弥陀さまのご法義をお伝えさせていただくご縁なのかもしれません」とお考えになり、北陸へ伝道の旅に出ることを決心されました。蓮如さまは、親鸞さまの御真影を近松坊舎に留め置き、そのお護り役にご子息の蓮淳さまがあたられました。蓮如さまは御真影に「親鸞さま、一人でも多くの人々にお念仏のみ教えをお伝えにまいります」と、しばしのお別れのお言葉を述べ、大津の浦から北陸へ伝道の旅に出られました。

コラム

顕証寺と蓮淳

蓮淳は本書で解説中の「蓮如上人絵伝」を所蔵する久宝寺御坊顕証寺の第三世です。寛正五（一四六四）年、蓮如上人の第六男として生まれ、天文十九（一五五〇）年に八十七歳で往生するまで顕証寺を支えてきました。顕証寺は蓮如上人建立の寺院で、創建当時は西証寺と称していました。当時、大津近松の顕証寺に住持していた蓮淳は、西証寺第二世・実真（初代は父の実順で上人の十一男）が早世したため、蓮淳が久宝寺に移り、寺号を西証寺から顕証寺に改めます。晩年は顕証寺の住持を長男実淳に譲り、隠居号として光応寺と名乗りましたが、天文十一（一五四二）年六月に実淳が五十二歳で往生したため、八月には顕証寺に再び戻ることになりました。以降、その法灯は絶えることなく、現在の第二十世真定師まで連綿と受け継がれています。

蓮淳の兄は本願寺第九代宗主・実如上人（上人の五男）で、蓮淳の娘・融誓（後の慶寿院鎮永尼）は実如上人の長男・円如上人の妻となっています。さらに融誓は後の第十代宗主・証如上人の母ですので、蓮淳は証如上人の外祖父にあたります。これだけでも顕証寺がいかに本願寺と縁が深いのかが分かります。また、実如上人は病中に松岡寺蓮慶・光教寺顕誓・本泉寺蓮悟・顕証寺蓮淳・本宗寺実円らを集めて、自分が往生した後は若齢の証如上人を補佐するように遺言します。このうち蓮淳・実円以外の三人は加賀に在国し、蓮淳は実円よりも年長であったため、実際の補佐は主に蓮淳があたりました。蓮淳は証如上人が往生される四年前まで存命でしたので、蓮如上人・実如上人・証如上人という三代にわたって宗主を補佐し、本願寺において大きな影響力を持っていました。

このように、顕証寺は本願寺の深い縁故関係にあることから、本願寺に何かあれば顕証寺住職が駆けつけて護ってきました。実際、三人の方が本願寺に入寺し、第十七代法如上人・第二十代広如上人の二人の宗主、徳如上人が広如上人の新門になっています。

第二幅・第三図

「加賀教化」

文明三(一四七一)年　季節初夏

日没の勤行を終えた頃、人里では見ることのない「仏法僧の鳥」が現われて鳴いています。蓮如さまのお徳を讃えにやってきたのでありましょう。

法敬坊さま
仏法僧の鳥
蓮如さま
青梅の木

物語

「一人でも多くの人に阿弥陀さまのお心をお伝えする」という思いを胸に、蓮如さまは北陸への旅を続けておられました。旅の途中、加賀国横根村という所で三日間滞在されます。その間、蓮如さまはどのようなものであっても摂(おさ)め取って捨てない阿弥陀さまのお慈悲をお取り次ぎされ、そのご法話を聞いた村人たちは大いに喜びました。

そうすると二日目の夕方のお勤めが終わった頃に、不思議なことが起りました。「仏法僧の鳥」と呼ばれる鳥が夕日のかがやく空からやってきて、「ブッ・ポウ・ソウ」と三声鳴いたのでありました。この鳥は富士山・加賀の白山(はくさん)・越中の立山(たてやま)・高野・醍醐などの霊山で鳴くことはあっても、普段はめったに鳴かないので大変めずらしいことです。村人たちは「ここは仏法僧の鳥が鳴くような場所ではありませんが、きっと蓮如さまのご威徳(いとく)を讃えているのでありましょう」と口をそろえて言いました。

民家の中では、いつも蓮如さまのお側に仕えた法敬坊順誓(ほうきょうぼうじゅんせい)という門弟が、その様子を微笑ましく見ていました。法敬坊さまはかつて蓮如さまより、「法敬坊よ、お念仏をよろこぶ人はみな兄弟です。先にお浄土に生まれるものは兄、後に生まれて往くものは弟なのだから、法敬坊とは私は兄弟なんだよ」とかけられた言葉を思い返していたのでありましょう。

蓮如さまは常々「お念仏をいただく者は、お互い阿弥陀さまを同じ親さまと仰ぐ兄弟なのです」と仰せになり、御同朋・御同行の精神を大切にされました。そのような蓮如さまの周りには老若男女かかわらず、いつも多くの人々が集まっていました。

コラム

「仏法僧の鳥」の正体とは

その名の通り、「ブッポウソウ」という名前の鮮やかな美しい鳥で「森の宝石」と呼ばれています。森の中で夜間「ブッ・ポウ・ソウ」と聞こえ、「仏・法・僧」の三宝(さんぼう)を象徴する鳴き声がこの鳥の声であると信じられてきたため、この名が付けられました。しかし、実際のブッポウソウをよく観察しても「ブッ・ポウ・ソウ」という鳴き声を発することが確認できないため、声の正体は長く謎とされてきました。そのような中、昭和十年に鳴き声の主がフクロウの仲間である「コノハズク」であることが判明しました。

平安時代前期の歌人で三十六歌仙にも数えられる凡河内躬恒(おおしこうちのみつね)の歌集『躬恒集(みつねしゅう)』には「仏法僧といふ鳥のなく」という言葉が出てきており、「ブッポウソウ」と呼ばれるようになってから、実に千年以上も間違えられてきたことになります。このようなことから、コノハズクを「声のブッポウソウ」、ブッポウソウを「姿のブッポウソウ」と言われており、現在では限られた生息地で見られる程度のようです。

第二幅・第四図

「吉崎での教化」

文明三（一四七一）年七月十六日　季節夏

蓮如さまが吉崎に赴くと、瞬く間に念仏の声が広がっていきました。この場面では蓮如さまの教えを受けた同行と大坊主（大寺院の住職）が問答をしています。この問答がきっかけとなり、「聖人一流章」が作られました。

物語

蓮如さまは、文明三（一四七一）年七月に越前国坂北郡細呂宜郷吉崎という場所に注目され、この地に「吉崎御坊」とよばれるお寺を建立されました。蓮如さまは吉崎で阿弥陀さまのお救いを平易な言葉で書かれたお手紙、『御文章』による伝道を本格化させていきます。ちょうどこの時期に書かれた『御文章』には次のようなことが述べられています。

ある日、蓮如さまから教えをうけたひとりの同行が大寺院の住職である大坊主に「あなた方はどのような思いでご門徒を教化されていますか」と質問しました。そこで大坊主は「私は仏法のおかげで生活をしておりますが、実は親鸞さまがお勧めくださった信心や安心についてはよくわかっておりません。もしよろしければ、教えてもらえないでしょうか」と言うのでした。それを聞いた同行は「そういうことであるのなら、身の程をわきまえぬ、まことに出過ぎたことでありますが、私の領解を申し述べさせていただきます」と言って、浄土真宗の教えの要を述べ始めます。「何よりも親鸞さまのご法義の要は、信心を根本とされています。さまざまな雑行をなげ捨てて、そのままお助けくださる阿弥陀さまにふたごころなくおまかせすれば、往生は如来さまの方で決定してくださるのです。信心を得た後のお念仏は、阿弥陀さまのご恩を報謝するお念仏であると心得るべきです」と、浄土真宗のみ教えの要である「信心正因・称名報恩」を語ったのでありました。

「聖人一流の御勧化のおもむきは、信心をもって本とせられ候」から始まるよく知られた「聖人一流章」は、実はこの同行と大坊主のやり取りがもとになり、蓮如さまがそれをさらにまとめたものだったのです。

蓮如さまによって書かれた『御文章』は、吉崎における伝道の大きな力となっていくのでした。

コラム

吉崎時代の『御文章』

吉崎時代の蓮如上人の功績としてまず挙げられるのが、『御文章』による伝道を本格化させたことです。上人が四十七歳の時、近江国金森の道西にあてた「お筆はじめの御文章」から、文明三年に吉崎に進出されるまでの十年間で書かれた『御文章』はわずかに三通でした。ところが、吉崎滞在中の四年五ヶ月間で書かれた『御文章』は年紀がわかるものだけでも八十五通にのぼり、吉崎時代の教化のはげしさが窺えます。

『天正三年記』によれば、吉崎時代に上人が『御文章』を多く書かれるようになったのは、安芸蓮崇の提案によるものであるとされています。蓮崇は蓮如上人の参謀役で、上人の子息でもないのにかかわらず、名前に「蓮」の一字を頂戴していることからも、信頼の厚さがうかがえます。後の「吉崎退去」で紹介しますが、この蓮崇、文明七年八月に上人が吉崎を退去せざるを得なくなった際のキーパーソンで、この時上人から破門されてしまいます。その数奇な人生とは如何に……。

「見玉尼の往生」

文明四（一四七二）年八月十四日　季節秋

蓮如さまの次女・見玉尼（けんぎょくに）さまが二十五歳の若さで往生されます。深い悲しみの中、蓮如さまは愛娘が美しい金色の蝶となって現れる夢をみました。

物語

吉崎での伝道に身を捧げていた蓮如さまに悲しい出来事が起こります。次女・見玉尼(けんぎょくに)さまが二十五歳という若さで往生されたのです。吉崎へ向かわれた翌年、文明四（一四七三）年八月十四日のことでした。蓮如さまは深い悲しみの中、見玉尼さまのことを思って筆を取られました。

「静かに思いをめぐらすと、世間では人の性格は、その名前の通りになるといわれていますが、まことにその通りであると、この度は思い知らされました。それと言うのも、この度、お浄土へ往生させていただいた亡き人の名前は見玉というのですが、それは〈玉を見る〉と読みます。どのような玉を見るのかというと、最高の宝玉である如意宝珠(にょいほうじゅ)に譬(たと)えられるような真如法性(しんにょほっしょう)（すべてのもののあるがままの真相）を明らかにさとり見るという意味を表わしています。見玉はその名の通りにお浄土に生まれて真如のさとりを実現したのです。（中略）見玉の往生に関して、ある人（蓮如さまご自身）が八月十五日、火葬した夜の明け方に不思議な夢を見ました。その夢というのは、火葬に付せられて彼女の遺骸(いがい)が夜半の煙と消えた後に残った白骨の中から、三本の青い蓮華が生えてきました。その花の中から一寸ばかりの金色(こんじき)の仏が光を放ちながら現われてこられましたが、間もなく蝶(ちょう)になって空の彼方(かなた)へ消えていったと思ったとき夢から覚めたのです。これは見玉という名前の通り、お浄土に生まれ、如意宝珠のような尊い真如法性のさとりを顕現(けんげん)したことを私に知らせる姿に違いありません。ことに青蓮華から現れた仏が金色の蝶となって空の彼方へ消えていったというのは、阿弥陀さまから賜った信心を宿した彼女が、西方にあるお浄土という安らかなさとりの世界へ生まれ、仏さまになったということを疑いようもない形で知らせていただいたと領解しています」

と言われています。そしてお手紙の最後には、次のように結ばれています。

「こういうわけであるから、ご縁のある人々はみな、この度の見玉尼の往生を、自分にご法義を聞くよう勧めてくださっている善き師と受け取り、すべての者が〈我れにまかせよ、かならず救う〉という阿弥陀さまの仰せにひとえにおまかせする信心を得て、そして阿弥陀さまのご恩に報謝するお念仏を相続されるならば、必ず同じお浄土に生まれさせていただく仏縁になるに違いありません」

蓮如さまは、先立って往かれた方々のいのちをご縁として、阿弥陀さまのご本願のおいわれをお聴聞することが大切であると仰せられます。つらい別れではありましたが、「娘とまた会わせていただくお浄土がある」と、お念仏のぬくもりを感じていたのでありましょう。

「吉崎繁盛」

文明三(一四七一)年～文明七(一四七五)年

吉崎御坊を中心に多くの多屋(たや)が建ち並んでいます。蓮如さまはこの地を伝道の拠点に据え、教化活動を北国一円に展開していかれました。

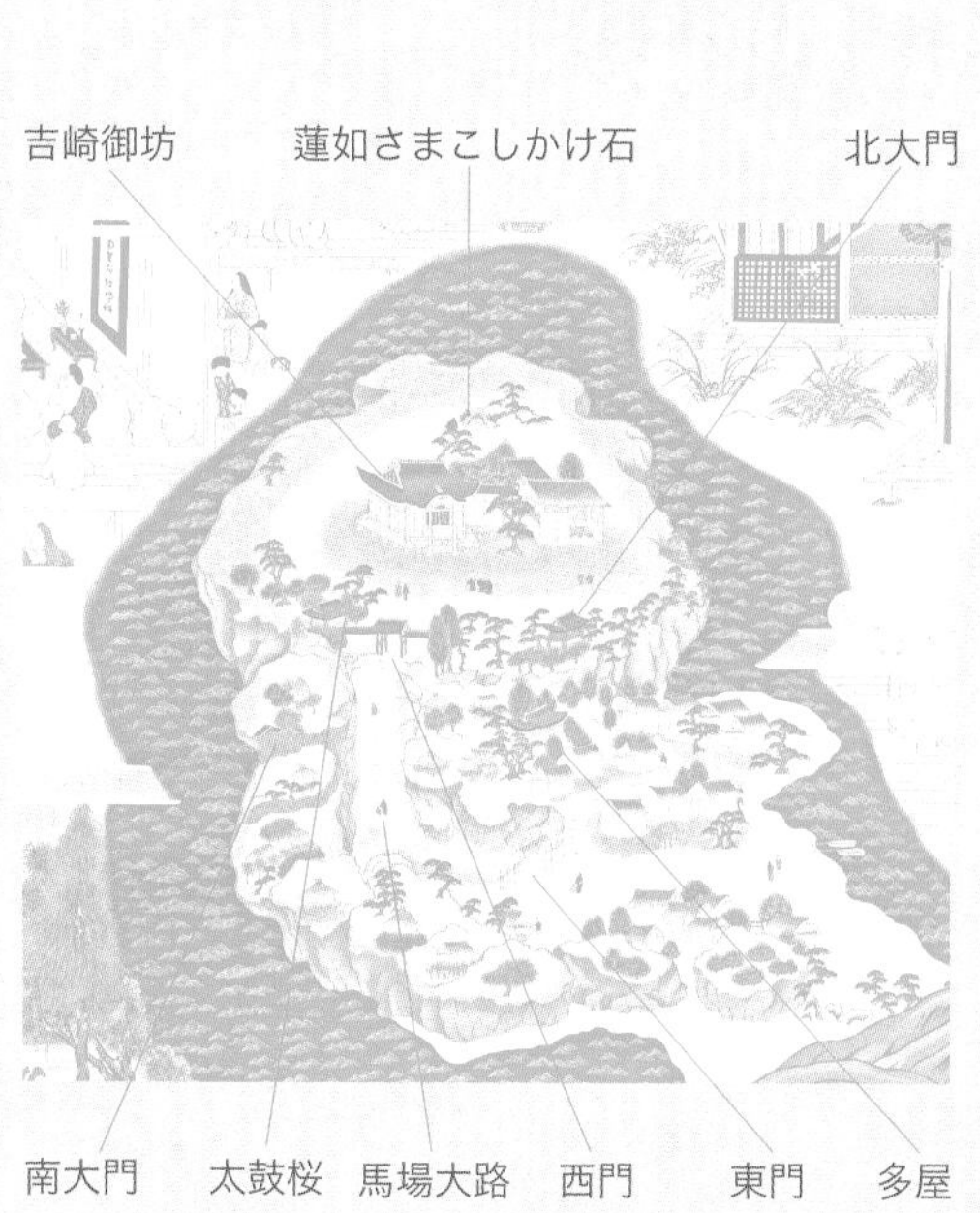

物語

蓮如さまが吉崎の地を伝道の拠点とされてから間もなく、北陸諸国の人々が蓮如さまの教えを求めて吉崎を訪れました。吉崎に来られて三年目のお手紙では、次のように述べられています。

「ここ最近、国の役人や禅宗・律宗などといった聖道門の人々までも、よくお話をされていることがあります。それは越前国細呂宜郷吉崎というところに一つの山があり、その頂上を切り拓いてお寺が建立されたそうです。ほどなくして加賀・越中・越前といった三ヶ国の門徒衆が集まり、多屋と言われる宿坊が早くも二百軒はあろうかというぐらいに建ち並びました。それに馬場大路とよばれる大通りも整備され、南大門・北大門といった門までもそなえてあります。この三ヶ国の中であっても、おそらくこのように要害もよく、素晴らしい場所は他にはないと思います。しかも、吉崎にお参りされる道俗男女の数は何千、何万と数えきれません」

とあるように、吉崎は多くのご門徒であふれかえり、さらに馬場大路という大きな道や、南北の両門が建てられました。吉崎は元々、けものが住みつくような地で、家など一つもありませんでしたが、蓮如さまがこの地に来られてからわずか数年で、あっという間に発展していったのです。遠方からお参りしたご門徒のために多屋と呼ばれる宿坊が二百軒近くも建ち並び、ふもとには多くの商家が連なっている様子は、まるでひとつの宗教都市のようでした。蓮如さまは、「もし世俗の権力によって統治され、都市づくりをしようとするのであれば、このようなことにはならないでしょう。吉崎の発展は、ただひとえに仏法不思議の威力によるものであります」と仰っています。

浄土真宗のご法義繁盛は、どこまでも阿弥陀さまのひとりばたらきなのです。

コラム

吉崎を取り巻く状況

吉崎御坊を中心とした寺内町には、二百軒にもおよぶ多屋が建ち並びました。多屋とは、上人の教えを聞こうと全国から押し寄せる門徒のために、吉崎道場の近くに設けられた寺院の出張所兼宿泊所です。

このような繁盛ぶりに、本願寺は当時北陸で強大な勢力をもっていた白山神社・平泉寺・豊原寺などの余宗寺院や、加賀・越前の支配権を争っていた対峙勢力から次第に目を付けられるようになりました。上人はそのような政治勢力との摩擦を避けるために、門徒に対して掟を頻発されるようになります。掟の多くは「神祇を軽んじてはならない」、「諸仏・諸菩薩を軽んじてはならない」、「諸宗を誹謗してはならない」、「守護地頭を疎略にしてはならない」、「路地大道・関渡り船にて憚りなく真宗の讃嘆をしてはならない」といった内容になっています。そして「掟に背く者は本願寺の門徒とは認めない」と言われており、北陸は吉崎御坊をめぐって政治的・軍事的状況が徐々に緊迫していることが読み取れます。

第二幅・第七図

「正信偈和讃開版」

文明五(一四七三)年　季節初夏

僧侶と門徒が一緒に勤行できるように「正信偈和讃」が開版されました。みんなで声を出し、お勤めすることによって大きな一体感が生まれます。

物語

蓮如さまの吉崎でのご教化で大きな力となったものに、『御文章』の制作に加えて「正信偈和讃」の開版がありました。「正信偈」とは親鸞さまの主著『顕浄土真実教行証文類』の「行巻」末尾におさめられている偈文で、蓮如さまはこの「正信偈」と「三帖和讃」六首ずつを、毎日の朝夕のお勤めに拝読していくという勤行形式を新たに定められました。それまでの本願寺は、天台宗の分立ということもあり、独自の勤行形式がなく日常勤行としては善導大師の『六時礼讃』が勤められており、専門の教育を受けた僧侶のみで行われていました。しかし「正信偈和讃」はこれまでの勤行とは異なり、庶民の人々にも親しみやすいもので、僧侶だけでなくご門徒も一緒にお勤めできるようになりました。蓮如さまはお勤めの心得について、次のように述べられています。

「正信偈和讃を読むことによって、阿弥陀さまや親鸞さまに功徳を差し上げようと思うのは誤りです。他宗ではお勤めをすることによって功徳を回向すると考えるかもしれませんが、浄土真宗においては他力信心をよく心得るようにと、親鸞さまは和讃にお書きになっています。ことに七高僧の他力信心についてのご解釈を心して聞きわけるようにと仰っているのです。そのご恩をよくよく知らせていただき、お勤めは阿弥陀さまのご恩の深きことを親鸞さまの御前でご報謝する行いです」と、繰り返し仰せられました。阿弥陀さまの大きなご恩に気付かせていただいたならば、私のできることはただお礼を申すばかりであります。

吉崎で制定された「正信偈和讃」という勤行形式は、五百年以上経た現在でも浄土真宗の日常勤行として継承されています。

コラム

「正信念仏偈」の節譜について

現在、「正信偈」の節譜として用いられているのは真譜・行譜・草譜の三種類ですが、江戸時代初期には十種類の節譜があったことが分かっています。その後、第十四代寂如上人、第十七代法如上人、第十九代本如上人の時代に次第に整理され、真譜・墨譜・舌々行・中拍子・艸（譜）の五種となります。そして第二十三代勝如上人の継職にあたり改譜され、昭和八年に現行の三種となりました。なお、蓮如上人のお葬式は上人自身の遺言により「正信偈」が勤まり、それが基となって現在でも浄土真宗のお葬式では「正信偈」が勤まります。葬場勤行の「正信偈」の際に導師が「五劫思惟之摂受」の句を音を上げて読むのは五種正信偈の「舌々行」の形式、添引和讃と念仏には「中拍子」、最後の回向句には「艸」の節譜が用いられており、改譜前の節譜がわずかに残されています。

浄土真宗の勤行は祈願や故人に対する追善回向のために読誦するのではなく、阿弥陀仏への仏徳讃嘆・仏恩報謝の心持ちでお勤めさせていただくものであります。

第二幅・第八図

「嫁威しの肉附き面」

文明四(一四七二)年三月二十日　季節春

嫁の吉崎参りを嫌った姑(しゅうとめ)が鬼の面をかぶって脅かします。しかし、自らの浅ましい姿に気付かされた姑は心を改めて有難い念仏者になっていきました。

蓮如さま　鬼の面　姑　お清

お清　かがり火　姑

物語

越前の十楽村に与三次という百姓がおり、お清という妻とふたりの子供がいましたが、与三次と子供ふたりは次々に病で亡くなってしまいました。残されたお清は深い悲しみの中にありましたが、ちょうどその頃、吉崎には蓮如さまがおられ、仏法聴聞するようになりお清は有難い念仏者になりました。ところがその家の姑はお清がいつも吉崎へ参詣することを快く思っておらず、お清をお聴聞に行かせないように邪魔をします。お清は姑の機嫌をとりつつ、昼は忙しく百姓として働き、夜になると吉崎へお参りしていました。ある時、姑は鬼の姿となってお清を脅かして吉崎参りをやめさせようと考えます。白髪をふり乱し、顔には鬼の面をかぶり、身には白い衣を着て草木の生い茂る谷でお清を待ち伏せしていました。そうとは知らないお清は、お念仏を称えながら歩いてきました。松吹く風が強い中、谷より出てくる鬼を見ると落ち着いた様子で、「私を食べたければ食べればいい、たとえこの身を喰らっても阿弥陀さまより賜った他力のご信心までは喰らいつくすことは出来ないでしょう」と言って、お念仏を称えながら吉崎へ参っていきました。

姑はお清が帰る前に家に戻って面を取ろうとしますが面が顔にひっついて、顔の皮がむけるような痛みがしてどうすることもできません。お清が家に帰ってきたら何と言い訳しようと思い、自害も考えますが手足がしびれて動くことも出来ません。そうこうする間にお清が吉崎から戻り、家に入ると先ほど谷で出会った鬼がいるので驚くと、姑が大声をあげて「ああ恥ずかしい」と泣き出してしまいました。事情を聞いてみると姑はこれまでの思いと、谷で現れた鬼は自分であるという事をありのままに語りました。そうするとお清は「蓮如さまの仰せには、どのような者であっても阿弥陀さまのお心におまかせしてお念仏申せば、お浄土に生まれ仏とならせていただける」と語り、姑に涙ながらにお念仏するよう勧めました。姑はあまりの恥ずかしさに、お清の勧めで生まれて初めて「南無阿弥陀仏」と一声称えました。すると不思議なことに面はすぐに落ち、手足のしびれも無くなりました。姑は以後、心を悔い改めてお清と一緒に吉崎に参詣するようになり、誠に有難い念仏者になりました。その時の面は蓮如さまへ差し出し、末代への見せしめとなって世に名高き「肉附きの面」となり、往来には「嫁威の谷」と名を残しました。

「鬼」とは私の煩悩のことです。常に抱え続けるわが悪心をアテにするのではなく、仏法を中心としてお念仏を相続していくことが大切です。蓮如さまは常々「仏法を主人とし、世間を客人とせよ」と仰っていました。

第二幅・第九図

「吉崎御坊炎上」
（本光坊腹籠の御聖教）

文明六（一四七四）年三月二十八日　季節春

持ち出すことができなかった『本典』を取りに、激しく炎上する吉崎御坊の中へ、本光坊了顕（ほんこうぼうりょうけん）さまが決死の覚悟で飛び込んでいきます。

「証巻」　短剣　「証巻」

了顕さま　蓮如さま　了顕さま

物語

文明六（一四七四）年三月、吉崎御坊が全焼するという災難に見舞われます。その時に書かれた『御文章』によると、火は南大門のあたりの多屋から出て、火は北大門まで燃え移り南北九軒の多屋と本坊までも焼け落ち、繁栄を誇った吉崎の寺内町が灰燼に帰したとされています。

　この火災に際して、次のようなお話が残っています。

　蓮如さまが燃えさかる本堂を見て「御堂が焼失してしまうのはどうしようもないが、悲しいことに親鸞さまご真筆の『本典』（『顕浄土真実教行証文類』）のうち「証巻」を持ち出すことができなかった。これが燃えてしまうとなると一生の心残りである」と嘆かれていました。その時、蓮如さまの門弟であった本光坊了顕さまが蓮如さまに「私が取りに行って参ります」と申しました。蓮如さまは「これほどの猛火であるのに、どうして取りにいくことができようか。ただいたずらに焼け死んでしまうだけであるから全くもって無用のことである」と言って止められましたが、了顕さまは「ぜひ行かせてください」と言って聞きません。周りにいた僧侶たちは了顕さまの袖を掴み、「正気になりなさい。あの燃えさかる火の中に入れば死は避けられない」と強く止めましたが、了顕さまは帯から短刀を取り出し、掴まれていた袖を切り払って火の中へ飛び込んでいったのです。「証巻」を見つけることができましたが、早くも四方に火がまわっており、逃げる道がふさがれていました。その時、了顕さまはお腹を十文字に切り裂き、「証巻」を押し込み、その場で突っ伏して命尽きました。

　火事がようやくおさまり、焼け跡から変わり果てた了顕さまを見つけ出すと、そのお腹の中にはしっかりと「証巻」が護られてありました。このような事から、了顕さまによって護られた『本典』を「肉附の御書」とも「腹籠の御聖教」とも称しています。

コラム

本光坊了顕とお経本

本光坊了顕は室町時代の僧侶で、福井県市市波足羽の本向寺五世です。了顕が火災の際に護った「証巻」は、西本願寺所蔵（国重要文化財）のものと伝わっています。本願寺で用いられている経本に赤色の表装が多いのは、一説には了顕の血で染まった「腹籠の御聖教」の故実にならっていると言われています。

　お聖教とは単なる本や紙ではなく、私たちが救われていく仏祖のお言葉が書かれている大切なものです。多くの先人たちが命がけで護り伝えてくださったお聖教を通して、今日の私たちは仏法に出遇わせていただいているのです。了顕の「腹籠の御聖教」のお話は、私たちにとってお聖教がいかに大切なものであるかを教えてくださっているのではないでしょうか。だからこそ、お経本は丁寧に取り扱い、開く前と閉じた後は、おし頂くことを心掛けたいものです。

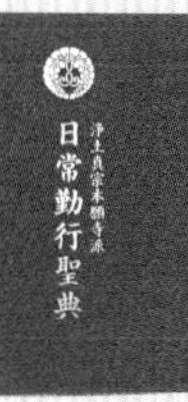

第二幅・第十図

「一向一揆」

文明六(一四七四)年七月下旬　季節秋

蓮如さまの教化によって教線が拡大していく中、本願寺の門徒衆はいつしか自分たちが支配者に対抗できるほどの力を持っていると思い始めます。

この頃、近畿各地では農民が幕府に対して徳政（金銭等の貸借関係の破棄）を要求するなどして、土一揆が頻繁に起こっていました。そのような状況の中で北陸でも応仁の乱の影響を受け、ついに門徒衆が蜂起することになります。急激にふくらんだ教団の統制は、もはや蓮如さまでも不可能でした。政親軍・本願寺門徒と幸千代軍・高田門徒との「文明の一揆」の火蓋が切られました。

物語

蓮如さまのご教化によって多くの参拝者であふれかえっていた吉崎でしたが、当時の北陸では応仁の乱の影響を受けて守護大名が国の支配権を争い、争乱や内紛が頻繁に起こっていました。吉崎から国境を挟んですぐ隣の加賀国では、富樫政親と富樫幸千代の兄弟が国の覇権をめぐって争っており、幸千代一派からの攻撃により政親が越前に逃げ込んできました。国を追われた政親は復権を目論み、その際に目をつけたのが、蓮如さまを中心とする本願寺勢力だったのです。

政親から味方になってくれるよう依頼を受けた蓮如さまでありましたが、「吉崎に来たのは阿弥陀さまのご法義を伝えるためであり、争いごとをするためではありません」と拒み続けます。しかし、蓮如さまに吉崎の地を与えた越前の守護職であった朝倉敏景だけでなく、将軍足利義政からも政親に協力するよう命が下り、蓮如さまの意に反して徐々に本願寺も戦乱に巻き込まれていくようになるのです。そのような中、当時本願寺と対立していた真宗高田派の門徒を、幸千代が味方につけることに成功します。高田門徒は本願寺門徒に対して各地で襲撃を加えはじめ、それに対して本願寺門徒も政親側について反撃をするなど、両者の緊張感は高まっていました。戦乱の世にあって、急激にふくらんだ教団の統一はもはや蓮如さまであっても不可能だったのです。その時期に書かれたであろう『御文章』には、「将軍義政さまから幸千代誅伐の命令書が下されており、私としてはもはや自分の意見を述べる余地もなくなっていました」と述べられており、蓮如さまの仏法興隆の切なる願いとは裏腹に、争いに巻き込まれていく悲しみが伝わってきます。

そしてついに文明六（一四七四）年七月、政親が本願寺門徒の支援を受けて、幸千代・高田門徒への攻撃を開始しました。いわゆる「文明の一揆」の火蓋が切られたのです。

最終的に政親・本願寺門徒が幸千代・高田門徒に勝利し、政親は加賀国の守護職を奪い返したのですが、この争いによって本願寺門徒に二千人、幸千代側にはさらに多くの犠牲者が出たと言われており、一揆の凄惨たる状況が窺えます。蓮如さまは『御文章』で、

「私が心に思っていることは、このような状況は望まないということです。これから以後は、このような争いごとを起こすようなことは決してしないようにしていただきたいです。ますます仏法に心を寄せて、阿弥陀さまのご本願を信じ、信心決定して真実のお浄土へ往生を遂げるよう心がけなければなりません」

と述べられ、仏法興隆の思いをより強く持たれるのでありました。

第二幅・第十一図

「吉崎退去」

文明七(一四七五)年八月二十一日　季節秋

蓮如さまのお仕え役である蓮崇(れんそう)の策謀により、吉崎を取り巻く状況は悪化していました。蓮如さまはついに吉崎を出られる決意をします。脱出する際、小舟の中に潜んでいたのは……。

物語

文明の一揆が終わった後、門徒の一部が自分たちの力を過信し、守護に返り咲いた政親に対して謀反を起こしますが、あえなく敗れて越中へ逃げ込んできました。やがて門徒の代表二人が、何とか加賀へ戻れるように政親との仲介をもとめて吉崎の蓮如さまのもとへ訪ねます。その時の取り次ぎ役が「下間安芸法眼蓮崇」という人物でした。蓮崇は法名を蓮如さまの「蓮」の字を一字いただかれるほど、ご法義の上からも信頼を置かれていました。しかし、蓮崇は蓮如さまのお仕え役でありながら、門徒の力を利用して北陸一帯に権勢を張ろうと企んでいたのでしょうか、和睦の申し入れを蓮如さまに取り次がず、むしろ「蓮如さまは政親を討てと仰っている」と告げたのでした。その結果、吉崎を取り巻く状況は悪化し、早くも政親が吉崎を討つ準備を整えていました。こうした情報を大津にいた蓮如さまのご長男・順如さまが聞きつけ、吉崎へと向かい危機的状況を伝えます。この時に初めて蓮如さまは蓮崇の策謀に気付き、蓮崇をその場で破門にするのでした。そして蓮如さまはその日の晩に吉崎を舟で脱出する決心をされました。蓮如さまが御坊裏手の湖から小舟で脱出しようとした時、その舟の中に一人の男が身を潜めていました。順如さまがその男の襟元を掴み、陸に引きずり出すとそれは蓮崇でした。蓮崇は闇に消えていく蓮如さまを乗せた舟を見ながら、浜辺に伏して泣き続けたのでありました。蓮如さまはこの時、吉崎に対する万感の思いと、先行きが見えない不安が入り混じったお気持ちを二首の和歌に込められました。

　よもすがら　たたく船ばた吉崎の
　　鹿島つづきの山ぞ恋しき

海人の　炬火つてにこぐ船の
　　行衛もしらぬ我身なりけり

四年以上過ごした吉崎を後にされ、蓮如さまは新たな伝道の旅へと向かわれたのでありました。

コラム

蓮崇のその後

蓮如上人はご往生のひと月前から山科本願寺にて病床に伏していました。上人は蓮崇のことを気にかけていたようでした。実はこの時、蓮崇は上人の容体が思わしくないことを聞きつけ山科に入っていたのですが、誰も彼を取り次ぐ者はいませんでした。しかし、そのことを耳にした上人は蓮崇を連れてくるよう命じます。そこにいた人たちはこれまでの蓮崇の悪事を並べ立て、面会に反対します。すると上人は、「何と嘆かわしいことを。心さえ改めるのであれば、どんな者でも救うというのが阿弥陀さまの本願ではないか」と一喝されます。

吉崎で別れてから実に二十四年ぶりの再会でした。蓮崇はその場で破門が解かれると「かたじけのうございます」と言うのが精一杯で、あとは泣き伏すばかりでした。その五日後、上人は往生の素懐を遂げられます。翌日の葬儀に参列した蓮崇はやはりずっと泣いていました。そしてその二日後、なんと蓮崇も往生を遂げるのでした。蓮如上人と蓮崇、二人の不思議な縁を感じずにはおれません。

【特集4】蓮如上人の伝記

赤井　智顕

一　蓮如上人伝記の特徴

蓮如上人の絵伝は、主に三月から五月頃にかけ、各地で行われる蓮如忌において、内陣余間に奉懸され、その前で上人に関する伝記や各種縁起が拝読されてきた。それはまさに、報恩講における宗祖・親鸞聖人の絵伝や、『御伝鈔』と同様の形式を保持するものであった。

ただし、親鸞聖人と蓮如上人の絵伝には大きな違いが存在する。親鸞聖人のそれが本山からの下附物であり、定型のパターンを持つものであるのに対して、蓮如上人のそれは、ほとんどが私的なものであり、蓮如忌の盛行に伴って各地で制作され、伝承されてきたものであったことである。実際に上人の絵伝には、上人一代の行蹟が記されているが、そこには歴史的事実とともに、各地に伝承されていた、伝説的なエピソードや寺院の縁起が挿入されている。

親鸞聖人の絵伝は、『本願寺聖人親鸞伝絵』・『善信聖人親鸞伝絵』、あるいは『親鸞伝絵』とも称され、宗祖の曾孫にあたる本願寺第三代覚如上人が、宗祖の三十三回忌の翌年、永仁三（一二九五）年に著されたものである。それは宗祖の遺徳を讃仰するため、生涯の行蹟を数段にまとめて記述された詞書と、詞書に相応する図絵とをセットにし、絵巻物として制作されたものであった。後に、図絵と詞書とが別々に流布するようになるが、図絵を「御絵伝」と呼称して、毎年の報恩講の際に内陣余間に奉懸し、詞書は『御伝鈔』と呼称し、同じく報恩講の際に拝読されてきた。この「御絵伝」と『御伝鈔』を通し、宗祖の遺徳は数多の念仏者達によって讃嘆され、現在にいたるまで讃仰され続けてきたのである。

このように、親鸞聖人の伝記には、絵相に対応する『御伝鈔』が存在する一方で、蓮如上人の伝記も「蓮如上人御伝鈔」などと呼ばれるが、正式な上人の『御伝鈔』が存在しないため、絵伝とともに私的な伝記が制作されてきた。その代表的なものが、滋賀県明楽寺や岐阜県長敬寺、愛知県本證寺などに所蔵されている『蓮如上人伝絵』である。そこには上人の誕生から往生・滅後にいたるまで、上人の一代記が一応の流れにそい、拝読形式の文体で収録されている。こういった蓮如上人の伝記が、少なくとも上人の二百回忌が行われた、元禄十一（一六九八）年までに成立していたことが分かっている。このような上人の伝記が流布し、さらに特徴的な地方伝承や伝説が挿入された、多様な伝記が制作されながら、蓮如上人の遺徳は時代を超え、各地で讃仰されてきたのである。

二　蓮如上人伝記の成立時期

ところで、蓮如上人の伝記は具体的に、どのような時期に成立してきたのであろうか。蒲池勢至氏によれば、明応八（一四九九）年に上人が往生されて以降、およそ四つの時期に区分して、蓮如伝の成立時期を認めることができるといわれている。以下にその四つの区分を、氏の論考にしたがってまとめておく。〈1〉

【第一期】

蓮如上人の往生後すぐに、上人の昵近の弟子達によって、法話・言行録が編纂された時期である。『空善聞書』をはじめ、『蓮如上人御若年砌事』・『蓮如上人御物語次第』・『蓮如上人御遺言』などが挙げられる。

【第二期】

蓮如上人の五十回忌～百回忌の間、特に天正年間に上人の第十男実悟によって著された、『蓮如上人一語記（実悟旧記）』・『拾塵記』・『天正三年記』・『蓮如上人一期記』・『山科御坊事并其時代』・『本願寺作法之次第』・『蓮如上人塵拾鈔』などである。

この時期、実悟によって高僧としての蓮如上人、もしくは「権化の再誕者」という上人像が形成されていくことになる。しかし、第二期では一応の上人像が形成されていくが、著されたものはいずれも言行録や法語が中心で、一生の伝記といった性格のものは成立していない。

【第三期】

第三期は元禄十一（一六九八）年の蓮如上人二百回忌頃に著されたものである。『蓮如上人略伝』・『蓮如上人御一生記』などが出版され、さらには近世蓮如上人像の形成に、大きな役割を果たしたとされる、『蓮如上人遺徳記』・『蓮如上人御一代記聞書』なども、この時期に出版されている。

【第四期】

第四期は寛延元年から寛政十（一七四八～九八）年、蓮如上人二百五十回忌から三百回忌にかけての頃である。この時期には先啓了雅によって、大部な『蓮如上人縁起』が成立し、寛政六（一七九四）年に『蓮如上人御一生記絵抄』、さらに文化七（一八一〇）年には『蓮如上人御旧跡絵抄』といったものが成立し、出版されている。

このように蓮如伝の成立をみてみると、近世蓮如上人像は二百回忌の元禄年間から形成されはじめ、三百回忌にいたると多様な蓮如伝が成立し、一般に流布していくこととなる。蒲池氏によれば、蓮如上人の絵伝は、中央教団の周辺で形成された「権化の再誕者」としての蓮如伝と、これが通俗化された蓮如伝、そして地方に発生した伝承が一緒になって絵画化されたものであると指摘されている。まさに蓮如上人の伝記は、親鸞聖人の『御伝鈔』とは違い、多様なものが制作されながら、各地へ流布されたものだったのである。

三　蓮如上人伝記の紹介

さて、蓮如上人に関する言行録や伝記は、上人の往生以降、長きにわたって制作され続けてきた。以下に、その中からよく知られたものをピックアップし、後世に制作される上人の伝記に、影響を与えたものを紹介しておきたい[2]。

❖『蓮如上人御一代記聞書』

本書には、蓮如上人の法語や行実が三百条以上にわたって記録されており、数ある上人の言行録のなかでも、集大成として位置づけられているものである。その内容は多岐にわたり、上人の日常の姿や、念仏者の生活のあり方、さらには本願寺の儀式や故実に関するものまで収録されている。

また蓮如上人だけでなく、第九代の実如上人や、蓮如上人の第六男であるこの顕証寺の蓮淳（近松・光應寺・兼誉）や、第七男蓮悟等の子息、法敬坊や慶聞坊といった門弟たちの言行も収録されている。本書の編者については、実如上人、蓮悟や実悟、あるいは実悟の子息である顕悟、顕悟の子息である教悟といった、複数の説が存在するが、現在、最も有力とされているのは、蓮如上人の言行録を多数編纂された実悟を編者とする説である。

本書は誰にでも分かりやすく、浄土真宗の肝要を述べることに尽力された、蓮如上人の姿がありありと示され、信心獲得することがいかに大切かを教示された書となっている。

❖『空善聞書』

本書は延徳元（一四八九）年八月、蓮如上人が隠居されてから、明応八（一四九九）年三月二十五日に往生されるまでの日常の言行、さらには上人の葬儀や中陰の様子を、百七十一箇条にわたって記録されたものである。編者は書名からも分かるように、上人の常随の門弟であった法専坊空善が、上人の存命中に仕えていた頃に聞いた言行や諸記録が収録されている。

なお、『蓮如上人御一代記聞書』の第一条〜四十四条（第五条を除く）は、この『空善聞書』から抄出されたものである。

❖『拾塵記』

本書の編者は実悟であり、内容は大きく二つに分けられる。前半は蓮如上人の事蹟や奇瑞を示す「蓮如上人事」、後半は上人の建立された寺院の由緒を示す「御建立寺々事」によって構成されている。成立年代は不明だが、弘治年間（一五五五〜五八）から元亀年間（一五七〇〜七三）までの間と考えられている。

「蓮如上人事」では、上人の誕生から山科本願寺時代までが年次順に記されている。得度や修学、生母との別れ、継職、吉崎御坊の建立など、上人の生涯における有名なエピソードが収録されている。

また「御建立寺々事」には、飯貝本善寺、下市願行寺などの各寺院の由緒が記されている。

❖『蓮如上人遺徳記』

本書は蓮如上人の遺徳を讃嘆するために制作されたものであり、覚如上人の著された『報恩講私記』にならって、「真宗再興の徳」・「在世の不思議」・「滅後の利益」の三意によって明らかにされている。

本書は巻上、巻中、巻下に分けられ、各巻に上人に関するエピソードが概ね年代順で記されている。巻上では上人の幼少期における生母との別れ、吉崎での教化、山科本願寺の建立などの行蹟が、巻中では延徳元（一四八九）年の隠居から大坂御坊の建立、病床から往生にいたるまでが語られている。そして巻下では、滅後の利益として、衰勢であった浄土真宗の教えを再興し、数多の人に教法を広めて、利益を遐代にまであらわされたという、権化としての蓮如上人が讃仰されている。

本書は延宝七（一六七九）年に刊行されて以降、多くの蓮如上人伝記の原型となり、その行実を伝える正統な書物として位置づけられている。なお、成立年代や著者に関しては諸説あり、いまだ定説を見るにはいたっていない。

四　おわりに

蓮如上人の在世時、応仁の乱をきっかけとして各地では戦乱が勃発し、京の都は荒廃と化す有様であった。世は戦国の時代へと移行していたのである。また、長禄三（一四五九）年から寛正二（一四六一）年にかけ、日本全土を襲った大飢饉によって、人々の心身は疲弊し、先行きの見えない大きな不安のなかでたじろいでいた。そのような時代に彗星のごとく現れ、「南無阿弥陀仏」の燈炬をかかげて、数多の人々に弥陀の本願の救いを説き、導いていかれた方こそ、蓮如上人その人であった。

上人が波乱に満ちた生涯を閉じられたのは、明応八（一四九九）年八十五歳の時である。上人の激動の人生を支え、導き続けたものこそ、親鸞聖人の説かれた浄土真宗の教えであった。「南無阿弥陀仏」の道を生き抜かれた上人の生涯をたどり、その伝記に触れることは、上人がいのちをかけて伝え続けられた弥陀の本願の救いを、わが身にかけて聞くことに他ならない。

また、上人八十五年の生涯は、各地を精力的に伝道された歩みでもあった。だからこそ、多様な伝記が生み出され、各地の念仏者によって伝承されてきたのである。この事実は、真宗教団にとって非常に大きな意味を持つ。各地に伝承され、語り継がれてきた上人の伝記を通して、いかに多くの方が浄土真宗の教えに遇われてきたことであろうか。

ここに、「顕証寺本　蓮如上人絵伝」に閲し、長きにわたってこの地に伝承されてきた上人の伝記を前にする時、我々は浄土真宗の教えに生き抜かれた上人の姿を、心奥に感じることができるであろう。

注

〈1〉蓮如上人伝記の成立時期に関しては、蒲池勢至『真宗民族史論』（二〇一三年、法藏館）、蒲池勢至「蓮如上人絵伝の系譜」（蓮如上人絵伝調査研究班編『蓮如上人絵伝の研究』所収、一九九四年、東本願寺出版部）を参照。

〈2〉蓮如上人の言行録や伝記の紹介は、『浄土真宗聖典全書』五・相伝編下（二〇一四年、本願寺出版社）を参照。

第二幅

第三幅・第一図

「出口坊舎の建立」

文明七(一四七五)年　季節夏〜初秋

蓮如さまは吉崎を退去された後、富田(とんだ)にご逗留(とうりゅう)されます。その時、光善(こうぜん)さまが仏法弘通(ぐづう)の勝地として出口(でぐち)を勧めました。そこで蓮如さまは出口に移り、一字の坊舎を建立されます。

物語

蓮如さまを乗せて吉崎を出た小舟は、若狭（福井県）、丹波（京都・兵庫）・摂津の名塩（西宮市）を経て富田（高槻市）に着きました。富田にご逗留の際、河内（大阪府）茨田郡中振郷出口村の光善（空念坊法住）という僧侶が蓮如さまを訪ねて、「出口は摂津・河内の中央にあり、後ろには淀川がひかえ、交通にも便利なので仏法弘通の勝地です」と勧めました。そこで蓮如さまは富田から出口に移られました。

出口には二町四方の池があり、それを埋めて坊舎が建立されました。ある夜、一人の女性が来て、「私はこの池に五百年も前から住んでいる大蛇です。この池が全部埋められてしまうと住む場所が無くなってしまうので、どうか居所を与えてください」と申し出ます。すると蓮如さまは、「あなたがこの池に住む大蛇であるならば、この度ここにお寺が建立されることを喜び、仏法を護っていきなさい。あなたのために池を残しておきましょう」と仰いました。女性は「この地に仏法が開けおこることをずっと待っておりました。いまこそ勝縁に遇うことができました。私はこの地に建つお寺を護っていきます」と言い残し去っていきました。このお寺が現在の出口御坊光善寺です。

蓮如さまは出口で六十二歳の誕生日を迎えられました。それはちょうど御父上の存如さまが往生された御年でもあります。蓮如さまは存如さまと同じ年齢まで生きさせていただいたことを喜ばれ、

たらちをと　同年まで　いける身を
あけにし春も　はじめなりけり

と、感慨をもって和歌を詠まれました。

こうして、出口坊舎を拠点に摂津・河内・大和・和泉など近畿一円への教化活動を始められました。

コラム

光善の決意

光善は「御厨の石見入道光善」ともいい、石見（島根県）の出身であったといわれていますが、詳しいことは分かっていません。蓮如上人の十男・実悟によってまとめられた『蓮如上人仰条々』によれば、光善はこの時、上人に次のようなことを言ったとされています。

「〈頭を棒杭で殴られるようなことがたとえあったとしても、仏法に難儀をかけるようなことは決して致しません〉と言ったのを、蓮如上人は、〈この言葉にことのほか感動した〉とお側にいた者に仰せになりました。また常々この言葉をお褒めになっておられました」といわれています。光善はわが身に代えてでも上人をお護りしようと決意していたのであります。

また光善の名前にある「御厨」とは、朝廷の御料所（荘園）を意味しています。出口は朝廷の荘園であり、本願寺のことをよく思わない寺社の領地や、大名の領地ではありませんでした。そのため上人は、安心して出口を伝道の拠点にすることができたと考えられています。

第三幅・第二図

「河内門徒の形成」

文明八（一四七六）年　季節秋

親鸞さまの御絵伝を見ている蓮如さま。河内門徒のリーダー格である慈願寺法円（じがんじほうえん）さまと、そのご子息法光（ほうこう）さまも一緒です。外には多くの門徒方が交流しています。

物語

出口坊舎に拠点を置いた蓮如さまは河内でも積極的に布教され、門徒集団が形成されていきました。文明八（一四七六）年七月の『御文章』には、「近頃は摂津・河内・大和・和泉の四カ国の方々が浄土真宗に帰依し、中には禅宗や天台宗などの聖道門の僧侶までもが真宗に転向している」と仰っています。出口へ来られてからわずか一年足らずで、蓮如さまの周りには老若男女問わずいろいろな方が集まるようになっていました。

蓮如さまは吉崎と同様に、河内でも『御文章』で伝道を続けられていきます。特に文明八年以降の『御文章』には「真宗の正義」、「当流一流の正義」という文言が度々出ており、当時お念仏を呪文のように考える誤った異義を正すため、親鸞さまが示した信心と念仏のあり方を強調されたのでありました。

蓮如さまが河内へ来られたのはこの時が初めてではありませんでした。それは、河内門徒の中で中心的な存在であった慈願寺法円さまとの関係で窺えます。場面の右上では蓮如さまと法円さま、そしてそのご子息法光さまが、蓮如さまから下附された親鸞さまの御絵伝（願主法円・文明七年九月二十日の奥書）を前にお話をされています。慈願寺には長禄二（一四五八）年に蓮如さまから十字名号を下附されており、少なくとも吉崎に進出される文明三（一四七一）年より十三年前に河内の地へ布教に訪れていました。この前年は、御父上の存如さまがご往生され、蓮如さまが本願寺を継承された年でもあります。

また、蓮如さまが開創し、ご子息を継承・入寺させた寺院も河内には多く、西証寺（顕証寺）はその代表です。蓮如さまは教線を広げていく上で河内を早くから重要視されていたのでした。

コラム

蓮如上人の子孫の活躍

蓮如上人の子孫には、本願寺関係以外へ行かれた方もおられますが、そこから本願寺のために尽力された方が出てこられます。天文元（一五三二）年、山科本願寺が細川勢・法華衆に焼き討ちされた際（畿内天文一揆）、山科本願寺に安置されていた御真影は、醍醐寺報恩院へと密かに移されていきます。報恩院は真言宗寺院でしたが、この時の報恩院の院主であった源雅は、蓮如上人と浅からざる関係にあった方でした。実は源雅の母親は祐心尼といい、上人の十七番目のお子様にあたる方だったのです。祐心尼は公家の中山宣親に嫁がれますが、その間に生まれたのが源雅でしたので、源雅は上人の外孫にあたります。

また源雅の兄・重親は、公家の庭田家へ養子に入っています。重親の子の庭田重保は、第十一代・顕如上人の時におこった石山合戦の折、織田信長と本願寺との和睦に勅使として尽力されています。このように、上人とゆかりのある子孫の方々は、他家へ行かれたとしても、様々な形で本願寺を外護し続けられていくのです。

第三幅・第三図

「堺の様子」

文明八(一四七六)年　季節秋

蓮如さまは出口を拠点に、堺にも教化に向かわれます。堺は大和(やまと)朝廷以来、国内はもちろん中国・朝鮮との国を往来する船の港として繁栄してきました。この地に新たに信証院(しんしょういん)が建立されました。

物語

蓮如さまは出口を拠点に富田や堺へも教化に行かれていました。当時の堺は日本各地だけでなく、中国や朝鮮半島からも貿易船が出入りしていた日本最大の貿易港でした。また港町には商人たちが軒をつらね、町衆が自治権をもつようになった商業都市でもあったのです。

堺では多くの人々が蓮如さまの教化を受け、真宗に帰依していきます。そのうち南庄・紺屋道場（慈光寺）の円浄さまと北庄・樫木屋道場（真宗寺）の道顕さまは蓮如さまが摂津・和泉での伝道拠点に出来るよう、「信証院」とよばれる一字の坊舎を建立しました。これが後の本願寺堺別院です。蓮如さまは堺においても『御文章』による伝道を大切になさいました。「一人二人五人十人と参って来る人々に、御文章を読み聞かすべきである。有縁の人はこれによって信を獲るであろう」と仰せになりました。

また、信証院での出来事に次のようなお話があります。

ある夜更け、ろうそくを灯されて一心にお名号を書かれている蓮如さまの姿を門弟が見かけ、お体に障るのではないかと気遣いました。すると蓮如さまは、「先日、越中の国から来ていた者が国元の多くの人々にご本尊であるお名号を賜りたいと願い出ていたが、その者が明日越中へ向けて出発するというものだから、このようにお名号を書いている。こうして年を取ると目はかすみ、手もふるえるが、門徒のためならば、身を捨てる覚悟でいる。それは人には苦労をさせずに、ただひとえに信心をとらせたいと思うからである」と仰せられました。

蓮如さまの苦労をいとわない教化によって、貿易港として賑わっていた堺の地にお念仏の声が弘まり、ますます活気が溢れる町になっていきました。

コラム

お寺が県庁舎!?

信証院は現在の本願寺堺別院になっています。本堂は文政八（一八二五）年に再建され、現存する堺市内最大の木造建築で「北の御坊」とも呼ばれています。

かつて近畿には明治四（一八七一）年の廃藩置県後から、河内国・和泉国・大和国などを合併し、広大な県域を有した「堺県」が存在していました。政府の大阪府域拡大の方針で明治十四年に県域が府に編入され、堺県は廃止されましたが、それまでの十年間、堺別院は堺県の庁舎として使用されていました。堺県の廃止後、境内地と建物は本願寺へ返還され現在に至っており、「堺県庁跡」として大阪府指定史跡に指定されています。

なお、「信証院」というお寺の名前は、蓮如上人の院号にもなっています。

本願寺堺別院

第三幅・第四図

「契丹人教化」

文明八（一四七六）年　季節秋

蓮如さまが信証院に滞在していた時、中国大陸北部から愛する子どもを亡くした契丹人の夫婦が訪ねてきました。蓮如さまは夫婦に、すべての者を摂め取ってくださる阿弥陀さまのお救いを懇ろにお話されました。

物語

蓮如さまが堺の信証院に滞在していた時、そのお徳を慕って教えを受けようと、中国大陸北部のモンゴル系契丹国から一組の夫婦が海を渡ってやってきました。

この夫婦は契丹にて愛するわが子を失い、歎き悲しみのあまり、「子どもは何処へ生まれたのだろうか」と、その後生を観音さまに祈っていました。すると観音さまが姿を現されてこのように告げられました。

「あなたはここから東にある日本に行きなさい。日本ではお念仏の教えが広まっており、その教えを聞くことが出来れば、あなたの悩みは解決することができるでしょう」

この観音さまのお告げによって夫婦は日本を訪ね、さらに堺には蓮如さまという素晴らしい高僧がおられるということで信証院へやって来たのでした。涙ながらに事情を語る夫婦に、蓮如さまは「観音さまのお告げによって日本へ来られたとのこと、有難いご縁です」と、お念仏の教えを説かれました。

どのような者であっても必ずお浄土へ迎え取ろうと願っておられる阿弥陀さまという大悲のみ親がいますこと、そして阿弥陀さまのご本願をたのみ、倶会一処のお浄土へ生まれさせていただいたならば、先立って往ったわが子とも再会し、あらゆる人々を救う力も与えられることを丁寧にお話になりました。

夫婦は阿弥陀さまのお慈悲に触れてその有難さに涙を流し、尊い念仏者になりました。蓮如さまは「南無阿弥陀仏」のお名号を書いて渡すと、契丹人は感謝の中に自国へと帰っていきました。

蓮如さまの教化は日本のみならず、遠く異国の地にまでも及び、草木を育む雨水のように、あらゆる人々の心を潤していくのでありました。

コラム 「契丹」という国

契丹とは、十世紀から十二世紀頃に中国の東北部の蒙古から満州にかけて存在していた国で、「遼」と名乗っていた時もありました。蓮如上人の頃には明国の遼東に組み入れられていましたが、土地の人は自分たちを契丹と呼んでいたと思われます。

契丹では、多くの寺院・仏塔が建立され、歴代の皇帝たちも仏教に帰依し、あらゆる仏教経典がまとめられた『契丹大蔵経』が作られるなど、華やかな仏教文化が栄えていました。また、仏教史学者の吉田一彦氏によると、契丹を代表する寺院である奉国寺の石碑に刻まれた異体字と、蓮如上人の長男・順如上人が用いている漢字に共通点があるという指摘もあり、その関連性が注目されています。

契丹人の教化に関して蓮如上人の十男・実悟は『蓮如上人仰条々』で、「その契丹から来た人の中に、身長が一間（二メートル）ほどもある大きな人がいた」と記しており、その人物は本場面でも契丹人夫婦の上部に描かれています。

第三幅・第五図

「溝杭の仏照寺教光を教化」

文明九（一四七七）年十二月二日　季節冬

和歌を詠むのは好きですが、ご法義にはあまり関心の無かった仏照寺の教光さま。蓮如さまは一計を案じ、ご法義の内容を彼が好きな和歌に託して道中に置いてみました。

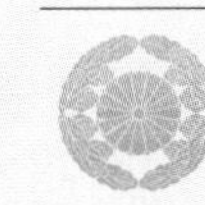

物語

摂津国溝杭（大阪府茨木市）に仏照寺というお寺があります。このお寺は元々、仏光寺派系列に属しており、本願寺とあまり縁がなかったようですが、蓮如さまの教化をうけて帰依するようになりました。

当時仏照寺の住職であった教光さまは文芸にだけ心を尽くして、特に和歌を詠むことが好きでしたが、浄土真宗のご法義についてはあまり関心がありませんでした。そこで蓮如さまは、何とか彼にご法義を伝えようと、お念仏の教えを教光さまが好きな和歌に託すことを考えました。

文明九年の冬の頃、蓮如さまは三首の歌を紙にしたため、その紙を溝杭の針の木原という場所に置きました。そこを通りかかった教光さまが拾いあげて見てみると、次のような和歌が書かれていました。

ひとたびも　仏をたのむ　心こそ
まことの法に　かなう道なれ

罪ふかく　如来をたのむ　身になれば
法のちからに　西へこそ行け

法をきく　道に心の　さだまれば
南無阿弥陀仏と　となえこそすれ

和歌を目にした教光さまでしたが、ご法義に関心がなかったため、どのような内容が詠まれているのか理解できず、出口におられる蓮如さまの元へ教えを請いにやって来ました。蓮如さまはゆっくり丁寧に阿弥陀さまのお心を説かれ、ついに教光さまは他力の教えを領解するに至り、信心堅固の人になりました。

コラム

蓮如上人と仏光寺教団

仏光寺は蓮如上人以前、近畿から中国・四国にかけて教線を広げており、多数の門徒を有していました。

仏光寺第十三代経豪は、文明元（一四六九）年、蓮如上人が説かれる教えに共感し、本願寺への帰属を上人の長男・順如上人を通して申し出ます。しかし、この時は上人が吉崎に進出していたためにかないませんでした。経豪の帰属が実現したのは、上人が山科に移った文明十一（一四七九）年でした。この時仏光寺には主要な寺院が四十八坊ありましたが、そのなか四十二坊が経豪と共に本願寺に帰属し、これによって本願寺の勢力はほぼ倍増したといわれています。

経豪は上人より「蓮教」という法名を授けられ、山科本願寺内に興正寺を創建します。以後、本願寺とは移転のたびに行動を共にして寺勢も急速に進展しました。さらに東西分派後は西本願寺の脇門跡として存在しましたが、明治九（一八七六）年、第二十七代本寂の時に一派独立し、現在は真宗興正派の本山となっています。

第三幅・第六図

「山科寺地の寄進」

文明十(一四七八)年一月二十九日　季節春

出口を拠点に教化されていた蓮如さまでしたが、近江国金森(かねがもり)の道西(どうさい)さまに御本寺建立の地として山科を勧められます。蓮如さまは山科を訪ね、土地の所有者であった海老名(えびな)氏から寺地の寄進を受けることになりました。

物語

蓮如さまは出口を伝道の拠点にされていましたが、近江国金森道西さまから「京都山科の地に良い場所があるので、そこに伽藍を建てて御本寺にするのはいかがでしょうか」という勧めを受け、山科を訪ねました。当時山科は山科七郷といわれ、七つの郷村による自治組織となっていました。その中、野村郷の土地の所有者であった海老名五郎左衛門の案内で野村西中野の地を見て廻りました。

山科は東・北・西の三方を山に囲まれ、南に開けた静かな盆地で、本願寺門徒が多い京都と近江にも近く、交通の便にも恵まれた絶好の場所で蓮如さまは大変気に入りました。そこで五郎左衛門が土地の寄進を申し出て、それを受けて蓮如さまは山科野村の地に本願寺を建立することに決めました。五郎左衛門は海老名という姓からすると、蓮如さまの継母・如円尼さまの出身である海老名家と何らかの関係があったとも考えられています。五郎左衛門はその後、蓮如さまの門弟となって「浄乗」という法名をいただき、西宗寺の開基となっています。

野村郷の土地は五郎左衛門の所有でしたが、領主は真言宗の醍醐寺三宝院であったため堂宇を建立するにあたり、三宝院の許可が必要となります。その頃の三宝院門主であった義覚さまは将軍・足利義政の子で、蓮如さまの四女妙宗さまは義政に仕えており幕府の奏者（取次ぎ役）をしていました。さらに威勢を誇っていた義政の内室・日野富子は親鸞さまと同じ日野家の出身で、山科本願寺が完成した際には早々に訪ねてくるという関係でもありました。

こうして様々な縁によって、三宝院の領内に本願寺を建てる許可が下りました。蓮如さまはさっそく山科に移り、本格的な工事計画を進めていくのでありました。

コラム

醍醐寺三宝院と悪人正機の法語

蓮如上人が山科へ移られた当時、この地の領主は、真言宗の醍醐寺三宝院でした。それから約百年後、醍醐寺の座主に就いたのが、摂関家の出身であった義演です。義演は戦国時代に焼き払われた醍醐寺の伽藍を、豊臣秀吉の援助を借りて復興された方としても知られています。

さてこの義演、伽藍の再興のみならず、戦火によって焼失し、散逸した膨大な経典類を収集するために、多くの経典や典籍を写経し、三宝院の宝蔵へと納め直していきます。その時、義演がたまたま収集した典籍のなかに、『法然上人伝記』がありました。大正年間に発見されたこの伝記は、醍醐本『法然上人伝記』と呼ばれています。

実はこの書物の中に、法然聖人の法語として、「善人なを以て往生す、況や悪人をやの事」という言葉が収録されているのです。親鸞聖人の法語をおさめた『歎異抄』に出てくる、あの有名な悪人正機説の元となる言葉です。親鸞聖人が法然聖人から伝承された大切な言葉が、醍醐寺三宝院の宝蔵に収められていたとは不思議な縁を感じます。

第三幅・第七図

「河内門徒による木材寄進」

文明十一（一四七九）年十二月中旬　季節冬

山科に寺地の寄進を受け、いよいよ御本寺の建立が動き出します。御堂を支える大きな柱は河内門徒による寄進で、吉野川から木を切り出し川で運びました。

物語

文明十一（一四七九）年の夏ごろに寝殿がようやく完成しましたが、夏は日が長いとはいえ、いつかは暮れ、紅菊紫蘭の秋の日は短く、あっという間に十月中旬も末になってしまいました。蓮如さまは、今年もあとわずかだと思いつつ、どうしても御影堂を往生するまでに建立したいと思っていました。

その思いを門徒衆も知っていて、すでに河内門徒の人たちが材木を調達するため、和州吉野の奥山に入ってくれていました。十二月中旬頃であったでしょうか、柱に用いるための材木五十本余りと、資材を運び上げ、積み重ねておくだけで年が暮れてしまいました。

思えばこの大きな材木を吉野の奥山から遠く山科の地まで運んでくるということだけでも命をかけた作業であり、多くのけが人と苦労があったことでありましょう。皆々の気持ちを奮い立たせていただくのは、すべては親鸞さまに安住していただく御影堂のためでありました。

内部の資材に関しては近江近郷の雑材木を集め寄せ、長押や敷居などはほとんど吉野の材木をあつらえました。屋根裏のこけら・板敷のたぐいの多くは大津より取り寄せました。四方の縁などは深草藤森の宮にあった杉木を調達しました。

御影堂の建立は、塔像を起立することによって自らの功徳にしていく行いではありません。どのような者でも救い取ってくださるという阿弥陀さまのご本願に出遇えた慶びと、そのご本願を伝えてくださった親鸞さまへの御恩報謝の営みであります。

後に蓮如さまは、「こうして諸国の人々が懇念をはこんでくれたことをよろこぶと共に、信心いよいよ決定して、未来永劫の仏果を心やすく得せしめよう」と思いを新たにされます。御本寺・山科本願寺の建立へいよいよ動き始めました。

コラム　蓮如上人と大和国吉野

応仁二（一四六八）年五月頃、蓮如上人は応仁の乱を避けると共に、布教の場として三河の地を巡化されました。そして十月中旬には紀州高野山を経て、大和国吉野にも赴いています。吉野の地には上人の十二男・実孝が入寺した飯貝本善寺をはじめ、下市願行寺や上市瀧上寺などの上人旧蹟寺院が知られています。これらの寺院には、上人の足跡を示す貴重な法宝物が現存しています。

上人はこの吉野の地で数多くの歌を詠まれていますが、以下にあげるのはそのうちの二首です。

これほどに　けわしき山の　道すがら
のりのゆかりに　あらでやはゆく

吉野川　こころぞとまる　河づらの
すみてもみばや　ここいひかい（飯貝）

念仏かおる吉野の土徳は蓮如上人の教化によって育まれ、後に大和の清九郎といった妙好人（篤信の念仏者）がうまれました。

第三幅・第八図

「近松坊舎絵像制作」

文明九(一四七七)年六月十八日　季節夏

大津三井寺の近松坊舎から御真影を迎える代わりに、蓮如さまは等身御影の制作をされました。この場面では完成した御絵像に、蓮如さまが裏書をされています。

物語

文明十二（一四八〇）年八月、山科本願寺落成に際し、蓮如さまは大津三井寺の山内、近松坊舎に安置していた御真影を山科に迎えようとしました。しかし、この時に三井寺の衆徒は難色を示し、山科へ御真影をわたしてはならないと阻止しました。

何故ならば、文明三（一四七一）年二月下旬に御真影が三井寺にお入りになってからの約十年間、諸国からの真宗門徒の参詣が絶えず、三井寺は経済的にもうるおっていました。寺内・寺外もまるで弥勒菩薩がお姿を現されたようであると大いに喜んでいたのです。いまこの御真影を本願寺に返すとなれば、三井寺への参詣が途絶えるおそれがありました。

蓮如さまは御真影を遷座した場合、大津の人々の動揺を考慮して、御真影を写した絵像「等身御影」を制作し、当時近松坊舎の住持であったご長男・順如さまに授けられました。「等身」とは大きさが等しいということではなく、この絵像が親鸞さま、御真影そのものであることを表しています。

また、等身御影は右斜め向きに描かれている通常の親鸞さまの御影とは異なり、正面を向いておられるので「真向御影」とも呼ばれています。正面を向かれ、さらには上部に讃銘が書かれていませんので、まさに御真影が目の前に座っておられるかのように描かれました。

こうして、御本寺・山科本願寺に御真影をお迎えする日がいよいよ近づいてきたのでありました。

コラム

御真影の遷座をめぐって

親鸞聖人の御真影を近松坊舎から山科本願寺へ遷座する際に、次のような悲しい話が伝わっています。

蓮如上人が吉崎から京都へ戻り、これまで三井寺に安置していた御真影を返してもらおうとすると、これまで御真影のおかげでにぎわっていた三井寺は、「人間の生首を二つ持って来れば返す」という無理難題を言いつけます。その話を聞きつけた堅田の漁師で、篤信の門徒であった源兵衛が、同じく念仏者であった父の源右衛門に「罪悪深重の私をそのままに摂め取ってくださる阿弥陀さまと、そのご本願を伝えてくださった親鸞さまのご恩に報いるため、自分の首を差し出してほしい」と申し出ました。

わが子の首を討てるはずもない源右衛門は躊躇しますが、源兵衛の説得を受け、涙ながらに息子の首を討ち、三井寺に差し出しました。そして残るもう一つの首は源右衛門自身の首を差し出すから、この場で討ち、どうか御真影をお返しくださいと言います。その言葉を聞いた三井寺は、「首が二つほしいのではなく、御真影を返したくないからそのような難題を申したのだ」と、自分たちの無謀な要求を恥じずにはおれず、ただちに御真影を引き渡したというのです。

本山本願寺の御影堂に安置されている御真影に手を合わせる時、こうした先人たちのまさに命をかけた思いに触れさせていただきます。

第三幅・第九図

「山科本願寺建立を喜ぶ」

文明十二(一四八〇)年八月二十八日　季節秋

諸国の門徒衆からの多大な寄進によってついに御影堂が完成しました。堂内に仮安置された親鸞さまの絵像を前に、蓮如さまは喜びのあまり夜寝ることが出来ませんでした。

物語

文明十一（一四七九）年三月には山科の整地が終わり、堺から信証院の建物を移築し、八月頃には馬屋や庭園なども出来上がりました。翌九月のある夜、庭から東の山上を見てみると、月の余りのきれいさに感嘆した蓮如さまは、

小野山や　ふもとは山科　西中野村
　ひかりくまなき　庭の月影

と一句詠まれました。

本願寺の中心である御影堂は、まず三帖敷の小御堂（模型）を造るという念の入れようでした。文明十二（一四八〇）年二月三日から本格的に御影堂の工事に着工され、柱は河内門徒が吉野の木材を寄進し、屋根の板などは大津門徒がそれぞれ寄進しました。翌三月二十八日に棟上げ、四月五日から八月中に内部の設備、八月四日から大屋根の檜皮葺に取り掛かりました。そして二十八日には御堂内にお厨子をしつらえ、親鸞さまの御絵像を仮安置しました。こうしてついに完成した御影堂は、間口十一間・奥行十二間の入母屋造りという立派なものでした。

竣工したその夜、蓮如さまは門徒の人たちと御影堂内で一夜を過ごしましたが、その時の心境を『御文章』に、

まことに悦びは身に余り、めでたい限りでありました。思えば、十五年前に本願寺を破却されてから京都を出て各地を巡ってきましたが、心の中では何とか生きている間に御影堂を建立して心安らかに往生できればと念願していました。ついに今夜、その願いを果たすことができて嬉しく、仏祖の恩徳が尊く感じてその夜は明け方まで一睡もできませんでした。

と述べられています。様々な苦難を乗り越え果たされた念願、諸国の門徒衆による多大な寄進と昼夜を惜しまない奉仕に思いをはせる時、蓮如さまの胸に込み上げるものがありました。

コラム

山科本願寺に安置された絵像とは？

親鸞聖人の絵像のうち「熊皮御影」「鏡御影」「安城御影」の三幅がよく知られています。特に「鏡」と「安城」の両御影は「寿像」とよばれ、宗祖の在世時に描かれたものといわれています。山科本願寺のお厨子に仮安置された絵像はこのうち「安城御影」であったとされます。蓮如上人はこの絵像を、宗祖の二百回忌にあたる寛正二（一四六一）年に一度修復されています。しかし、寛正六年に起こった大谷破却（寛正の法難）などによって破損したため、文明十一（一四七九）年に再度修復されました。

文明十年に山科本願寺の建立が始まり、文明十二年八月二十八日には御影堂のお厨子に宗祖の絵像が仮安置されていることから、当時蓮如上人の手元にあり、かつ寿像という特別な絵像であった「安城御影」がこの時に仮安置されていたと考えられているのです。「安城御影」は、近松坊舎から御真影を遷座するまでの間、その代わりとして御影堂に仮安置されていた重要な絵像であったといえます。

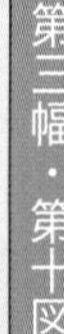

第三幅・第十図

「御真影を迎える」

文明十二(一四八〇)年十一月十八日　季節冬

御正忌(ごしょうき)報恩講が勤まるわずか三日前、近松坊舎に安置していた御真影が御輿(みこし)に乗って本願寺へ戻ってこられました。蓮如さまはじめ、大勢の僧俗が御真影を出迎えています。

物語

文明十二（一四八〇）年八月二十八日、御影堂が完成しました。当初、お厨子には親鸞さまの御絵像を仮安置していましたが、文明三（一四七一）年に吉崎進出する際、大津三井寺の山内、近松坊舎に安置していた御真影を山科にお迎えしようとしました。しかし、これに三井寺は難色を示し、交渉は難航しましたが、何とか説得して報恩講直前の十一月十八日に山科の御影堂にお迎えすることができました。十一月二十一日から二十八日までの報恩講の様子について『御文章』には、「近国近郷の門葉の輩、群集して幾千万という数なし」と述べられ、盛大に勤められました。

蓮如さまにとってもう一つの念願であった阿弥陀堂の建築は翌文明十三年から十四年にかけて行われ、瓦葺きの御堂が完成し、ご本尊の阿弥陀如来も安置されました。さらには御影堂門や他の諸堂舎も次々と建立され、素晴らしい伽藍が完成したのでした。

こうした伽藍の整備と並行し、山科本願寺周辺には広大な寺内町が形成されていきました。「御本寺」といわれる御影堂・阿弥陀堂・寝殿などの主要施設を中心に、その外側には「内寺内」があり、そこには本願寺一門の人々や坊官下間家の屋敷、本願寺や興正寺に仕える僧侶の住坊などがありました。さらには内寺内の周辺に「外寺内」と称する町衆の居住区もありました。これら全ての面積を合わせると、およそ三十万坪という境内を擁していたそうで、京都市中をしのぐ有り様を呈していたとされています。

山科本願寺を訪れた鷲尾中納言隆康が書いた日記『二水記』には、「寺中広大無辺、荘厳ただ仏国の如し」と記されており、本願寺は繁栄を極めていくのでありました。

コラム

寺内町のかたち

寺内町とは、室町時代に主な真宗寺院を中心に形成された自治集落で、堀や土塁で囲まれた防御的性格をもち、門徒や商工業者などが集住していました。

寺内町はその集落の中核となる寺院を中心に、碁盤の目状に街路が作られています。山科本願寺の場合、寺跡の調査結果によると土塁の高さは六メートルあり、堀も一・五メートルの深さがあったとされ、強固な城郭寺院でもあったことがわかります。室町後期の書家で、青蓮院の坊官であった経厚法印の日記には「山科本願寺ノ城ヲワルトテ」と書かれてあり、この頃の山科本願寺は「城」と呼ばれていたことが窺えます。

顕証寺を中心とする久宝寺寺内町も二重の堀と土塀をめぐらし、街路はやはり碁盤の目状になっており、現在もその町並みをとどめています。このように、真宗門徒衆は戦乱を防ぎ、門徒の団結をはかるために寺内町を形成していったのでした。

第三幅・第十一図

「慈願寺法光知恩院へ」

文明十九(一四八七)年　季節冬

ある日、蓮如さまは夢で法然さまから「私はこれから墨染(すみぞめ)の衣を着ることにしましょう」と告げられます。その言葉を受けて蓮如さまは、衣の色を確認するために慈願寺法光さまを知恩院へ遣わせます。

物語

文明十九（一四八七）年正月二十日、蓮如さまは次のような夢をみました。

法然さまと親鸞さまが一緒に歩いておられ、蓮如さまもお二人の後につき従っていました。すると法然さまが蓮如さまに、「いまお念仏の教えは多くの人々に弘まり、誠に殊勝なことです。あなたがお望みのように、私は墨染の衣を着ることにしましょう。それこそが一心専念のお心にかなうことなのです」と仰せになり、その時に蓮如さまは夢からさめました。

不思議なことがあるものだと、翌日蓮如さまは門弟であった慈願寺法光さまを京都東山の知恩院へ遣わし、法然さまの御影像は何色の衣を着ているか確認させました。法光さまが戻ってくると、「法然さまの衣は墨染でございました」と言いました。蓮如さまはそれを聞いて、「元来は墨染の衣でご往生されたのに、近年は黄色の衣に改めたと聞いて、それは如何なものかといぶかってきたが、墨染の衣に戻されたというのは結構なことである」と仰いました。

そしてさらに時が経ち、蓮如さまが知恩院を訪ねた際、住持に「法然さまの衣を墨染にされたのはいつ頃なのですか」と聞かれました。すると住持は、「先年あなたがお出ましになった時に、衣の色は本来墨染が正しいと言われたのでそのように改めました。仰る通り、元々は墨染でしたが、前住の大誉の時に黄色の衣に変えたのでした」と答えました。

これを聞いた蓮如さまは、「それは目出たいことである。知恩院が繁盛する吉兆である」と大変お喜びになり、香代として千疋を知恩院に寄付しました。このことがきっかけとなって知恩院のご法義は益々繁盛し、伽藍も次々に整備されるようになりました。

コラム

本願寺の袈裟・衣事情

蓮如上人以前の本願寺は、現在のように浄土真宗寺院として独立していたわけではなく、青蓮院管轄の天台宗寺院としての立場でした。したがって、御堂の荘厳も現在とは異なり、天台宗の仏具などが多く具えられていました。善如上人（第四代）や綽如上人（第五代）といった本願寺の歴代宗主の御影も、天台宗の制度にならって黄袈裟・黄衣で描かれていたのです。そのような状況で第八代目を継承された蓮如上人は、これまでの天台宗の荘厳を廃止して、親鸞聖人を宗祖とする浄土真宗独自のあり方を目指して改革を進めていきました。

袈裟・衣もその一つで、歴代宗主の御影について、「御流にそむき候」（『蓮如上人御一代記聞書』）と言い、蓮如上人自身は生涯墨染の衣で過ごしていました。

実如上人（第九代）以降、本願寺は次第に朝廷から色衣の着用が認められるようになり、特に顕如上人（第十一代）の時代に門跡寺院に列せられると、法衣の上に僧階が取り入れられるようになりました。

第三幅・第十二図

「西証寺建立」

明応年間(一四九二〜一五〇一)　季節夏

蓮如さまは河内の伝道拠点とすべく西証寺を建立されます。現在の顕証寺です。西証寺には大坂坊舎での「蓮如上人ご救済大蛇骨」が伝えられています。

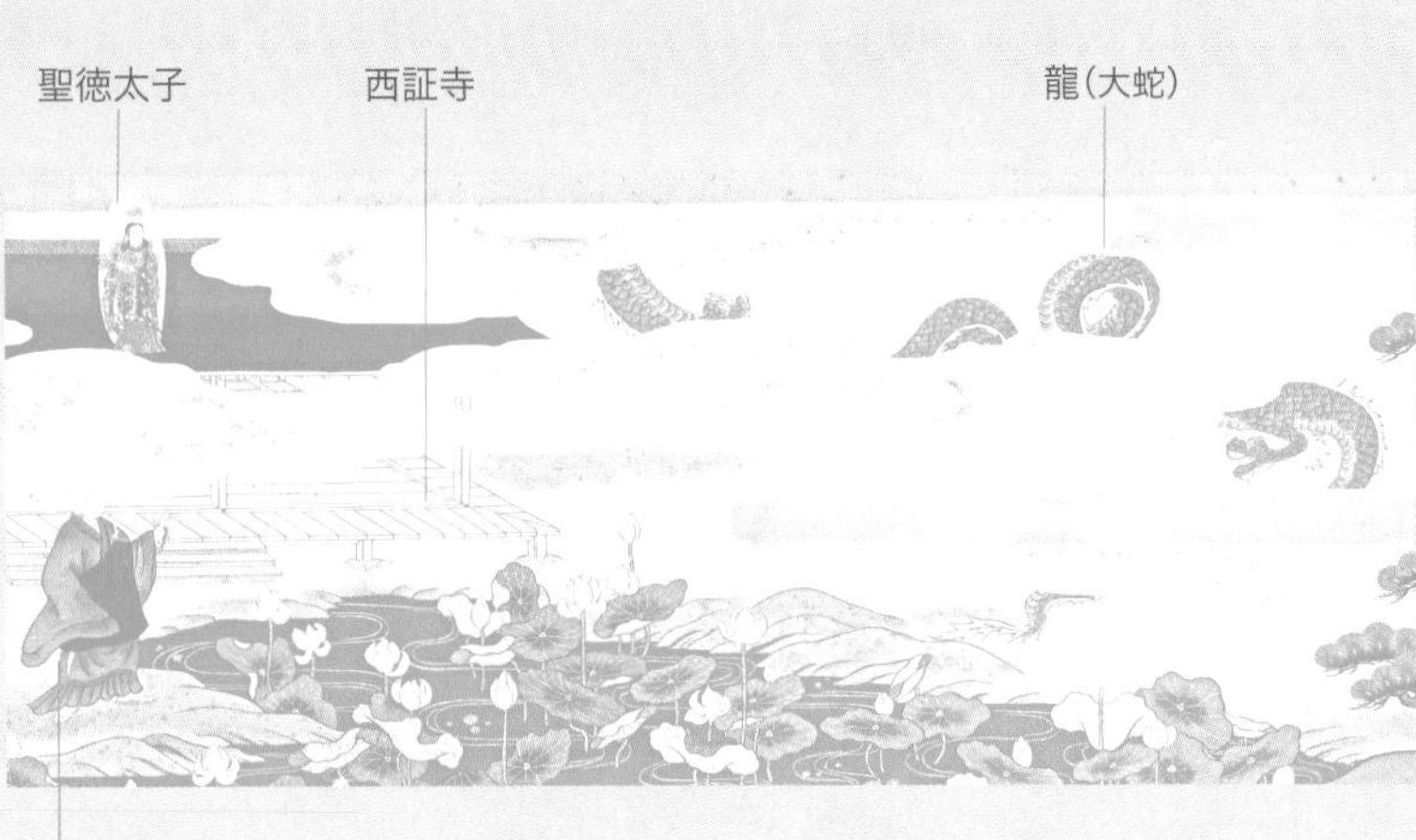

物語

蓮如さまは河内久宝寺の地に西証寺を建立されます。このお寺が後に寺号を改め久宝寺御坊顕証寺となります。久宝寺の地名は元々、聖徳太子がこの地に「久宝寺」という寺院を創建したことに由来しています。現在は久宝寺という寺院はなく、地名として残っています。

西証寺（顕証寺）には蓮如さまによる「大蛇ご救済」の伝承がのこされています。蓮如さまが西証寺を建立の後、石山本願寺を建立され、毎日お説法を欠かした日はありませんでした。ある雨の降りやまぬ夜、一人の女性が蓮如さまの前に現れてひれ伏して申します。

「私は前世において継子いじめをするような恐ろしい心を持った母親でした。その因縁によって大蛇に生まれ変わり、毎日数千万という悪虫が体を噛み血をすすり、その苦しみは耐え難いものです。私は

いま、難波潟に住んでおりますが、昼間は蓮如さまのお説法がそこまで響きわたってきて、その時だけは苦しみが和らぐのです。今はもう夜でお疲れでございましょうが、私は夜しか人間に変わることができません。申し訳ありませんが、いつもお説法されている阿弥陀さまのお話を聞かせていただけないでしょうか。こんな私でも救われるのでしょうか」

蓮如さまはこの言葉を聞き、大変不憫に思われ、いかなる者であっても「南無阿弥陀仏」ひとつで必ずお救いくださる阿弥陀さまのお話を女性への臨終説法としてされました。

女性はよろこび、「後世の人々にわが身をさらして、見せしめとして下さい」と言って帰っていきました。

その後、大蛇が住んでいた難波潟にその屍が浮かんでいました。指の爪とうろこは出口の光善寺に、胴体は大蛇塚、頭部は現在の顕証寺に移されました。

コラム

「大蛇の女性」が登場する意味

この場面では、なぜ大蛇の女性（龍女）が登場しているのでしょうか。龍女が救われていくというストーリーは、代表的な大乗経典である『法華経』に説かれる「龍女成仏」の教説を連想させます。『法華経』では、昔インドの仏教で救われ難いとされていた龍女が救われていく様子が説かれています。これはまさにどのような者であっても救われていくという仏教の大切な教えが表現されていると言えます。

浄土真宗で釈尊の出世本懐の経典とされるのは『仏説無量寿経』であり、このお経には阿弥陀仏の「すべての者をさとりの浄土へと迎え取る」というお念仏の教えが説かれています。「西証寺建立」で龍女が描かれているのは、いかなる者であっても「南無阿弥陀仏」ひとつで必ずお救いくださる阿弥陀仏のお心を表そうとしたのではないでしょうか。

なお、顕証寺に伝わる蛇骨の正体は、本書一四六ページの特集6「蓮如上人が一目ぼれした地『大坂』」をご参照ください。

【特集5】蓮如上人が再興されたもの

赤井　智顕

一　蓮如上人の魅力

日本仏教史にその名を残す偉大な宗教者であり、稀代のイノベーターであった蓮如上人の伝道活動は多岐にわたっている。存如上人から本願寺を継職され、蓮如上人が表舞台に登場されるまでの本願寺は、天台宗青蓮院に所属する一寺院であり、真宗独自の宗教儀礼は未成熟であった。天台宗の寺院としての機能をある程度整え、寺院活動を行っていたのが、当時の本願寺だったからである。そんな状況のなかで本願寺を継職された蓮如上人は、本願寺教団独自の宗教儀礼を創出されていく。「六時礼讃」中心であった勤行には、親鸞聖人の著された「正信偈」と「和讃」を指定して、仏徳を讃嘆する勤行形態を確立される。さらに非真宗的な本尊や聖教を徹底的に取り除き、真宗の本尊に相応しい「无㝵光本尊」を考案して、門徒衆に授与されていく。不明瞭であった真宗門徒の宗教儀礼面を、次々と規定されていったのである。だがそれは、痛みを伴う改革でもあった。真宗の法義に従って宗教儀礼を整備していく上人の行動は、天台宗からすれば挑戦的なものに映ったことであろう。実際、後に本願寺が叡山の衆徒によって破却される際には、この時の行動が問題視されている。

また上人は、「寄合」や「談合」といった信仰的な場を設けることを勧めていかれる。阿弥陀如来の本願の前では、誰しもが平等に救われていく教え、それが浄土真宗である。平座・同座といわれる一味平等の精神を、真宗的に具現化した場が「寄合」や「談合」であった。そこでは集まった者同士が、互いに法義や信心について確認し合っていく。このような場は、従来の地縁や血縁を超えて、民衆が結衆する新たなコミュニティを形成していくものとなった。自然と門徒が集まる念仏道場が建てられ、真宗の宗教儀礼を中心とした法座が営まれる。そして蓮如上人の書かれた『御文章』を通して、弥陀の本願の救いにその身をひたしていくのである。まさに信仰を中心とした地域共同体が、全国各地に誕生していったのである。そこから発せられる念仏の声は、日を追うごとに大きくなり、近隣の共同体と横断的に結びつきながら連動していく。上人の想像をはるかに超える勢いで、真宗教団は拡充の一途をたどり、「南無阿弥陀仏」の念仏の声は、大きなうねりを伴って各地へと響きわたっていったのである。しかし、急激な教団の拡充は一方で、上人の想いとは裏腹に、動乱の世に生きる大名家との軋轢を生み、新たな紛争や政治問題の火種ともなっていく。上人の後半生は、教団を束ねるリーダーとして、苦悩と葛藤の道程だったともいえよう。

当時としては、思い切った意識改革を行って本願寺そのものを変革し、真宗の法義に則った、教団や門徒集団の形成を目指されたのが蓮如上人であった。教団の改革者として大衆をリードしていかれた上人には、親鸞聖人とはまた違う不思議な魅力がある。その魅力に惹かれるように、上人の行く先々には群衆とも呼べる多くの人々が集まり、念仏者となっていった。そんな強烈な求心力を持たれていたのが、蓮如上人だったのである。（1）

二　ご再興の上人

聖人（親鸞）の御流はたのむ一念のところ肝要なり。ゆゑに、たのむといふことをば代々あそばしおかれ候へども、くはしくなにとたのめといふことをしらざりき。しかれば前々住上人の御代に、『御文』を御作り候ひて、「雑行をすてて後生たすけたまへと一心に弥陀をたのめ」と、あきらかにしらせられ候ふ。しかれば御再興の上人にてましますものなり。

（『蓮如上人御一代記聞書』〈『註釈版』・一二九〇頁〉）

『蓮如上人御一代記聞書』に記されているように、蓮如上人はご再興の上人といわれる。弥陀の本願を「たのむ」一念の時、摂取不捨の利益を得て、正定聚という往生成仏すべき位に住せしめられる、というのが親鸞聖人一流の御勧化である。宗祖は信心のことを「無疑心」・「真実心」・「金剛心」など、様々な言葉で表現されるが、日本語（和語）では「たのむ」という言葉を用いられ、浄土真宗の信心をあらわされている。たとえば、『唯信鈔文意』に、「本願他力をたのみて自力をはなれたる、これを「唯信」といふ」（『註釈版』・六九九頁）といわれ、『正像末和讃』に「仏智の不思議をたのむべし」（『註釈版』・六一四頁）といわれているのがそれである。自己をたのむ自力の心をはなれ、如来の本願力を「たのむ」といわれるように、宗祖は浄土真宗の信心のことを、「たのむ」という言葉を用いて示されていた。

勿論、宗祖が使用された「たのむ」は、如来に対して自らの救いを願い求めていく、いわゆる「懇願する」といった意味で用いられたものではない。宗祖が用いられた「たのむ」は、「たよりにする」とか「たのみにする」という意味を持つ、「憑む」という漢字が用いられている。「大悲の弘誓を憑み」（『註釈版』・二九五頁）といわれるように、自力のはからいを捨てて、弥陀大悲の本願のはたらきにまかせていることを、「たのむ」という言葉で示されたのである。まさに、「南無（まかせよ）阿弥陀仏（われに）」の本願の仰せに対し、疑いなくまかせきっているという、信心をあらわすのに適切な言葉が、「たのむ」という言葉であった。

確かに浄土真宗の信心は、「無疑心」や「真実心」といった言葉で表現することもできるが、当時の方々には、やはり日本語の「たのむ」という表現のほうが、伝わりやすいものであったことは言うまでもない。したがって、宗祖の著された聖教のなかで、「たのむ」という言葉を使用される際には、強く大衆を意識して書かれたものだったといえるだろう。しかし、宗祖以後、例えば覚如上人や存覚上人の書かれた聖教には、「たのむ」という言葉が用いられることは、不思議とあまりなかった。覚如上人の『口伝鈔』や、存覚上人の『浄土真要鈔』といった聖教のなかに、わずか数例確認できる程度である。

ところが、宗祖以来の伝統であった信心をあらわす「たのむ」という言葉を、明らかに信心表現の中心に据え、「弥陀をたのむ」と日本語で示されることによって、大衆のなかに浄土真宗の信心を広く伝えていかれた方が蓮如上人であった。さらに「雑行をすてて後生たすけたまへと一心に弥陀をたのめ」ともいわれるように、「たすけたまへ」という言葉を導入して、「たのむ」こころの内容を具体的に明らかにしていかれたのである。ここに蓮如上人をして、ご再興の上人といわれる所以がある。

さてわが身の罪のふかきことをばうちすてて、弥陀にまかせまゐらせて、ただ一心に弥陀如来後生たすけたまへとたのみまうさば、その身をよくしろしめしてたすけたまふべきこと、疑あるべからず。

（『御文章』〈『註釈版』・一二〇一頁〉）

どこまでも自己中心的な煩悩に誑かされ、振り回されて生きているわが身のそのままに、「南無（まかせよ）阿弥陀仏（われに）」と仰せになっているのが、如来の救いの名告りである。「たすけたまへ」とは、その「たすけまします」如来にこの身をまかせ、仰せのままに「たすけたまへ（お心のままにお助けください）」と応答している信心のありさまを、具体的に示された言葉であった。すなわち「たすけたまえとたのむ」と上人がいわれた時、そこには「助けてくださいとお願いする」という意味はなく、「仰せのままにお助けになってくださいと、まかせきっている」浄土真宗の信心の内実が、鮮やかに示されていたのである。

もっとも上人は、『御文章』を書き始められた当初、「たすけたまへ」という表現は意識的に控えられていた。「たすけたまへ」という言葉は当時、浄土宗鎮西派で用いられていた言葉であり、その中でも一条派の派祖・礼阿上人然空（〜一二九七）の弟子であった、向阿上人証賢（一二六五〜一三四五）が著された「三部仮名鈔」（『帰命本願鈔』・『西要鈔』・『父子相迎』）において、盛んに使用されていた言葉だったからである。たとえば向阿上人の『帰命本願鈔』に、

いかなる悪人なれども、たすけ給へと思て、南無阿弥陀仏ととなふれば、仏の本願に乗じて必ずうまるる也。

（『帰命本願鈔』〈『浄土宗全書（続）』八・十一頁〉）

といわれているように、それは阿弥陀如来に対し自らが救いを願い求めていく、「たすけたまへ」として用いられていたものであった。「三部仮名鈔」は、仮名法語の最高峰の一つに数えられる名著であるが、後に同じ一条派の隆堯上人（一三六九〜一四四九）によって応永二十六（一四一九）年に開版されており、宗の内外を問わず広く読まれ、親しまれていた。この時期は、蓮如上人の在世時期と合致するが、上人が活動されていた時代は、浄土宗鎮西派が大きな勢力をもっていた時代だったのである。

しかし上人はその後、「たすけたまへ」という言葉を、「たのむ」と連動して使用されることによって、「弥陀をたのむ」こころのありさま（信相）をあらわす言葉として用いられていく。鎮西派で用いられていた「たすけたまへ」の意味とは違う、浄土真宗の信心のありようを示す意味に転用され、当時の人々が慣れ親しんでいた言葉で、真宗の教えを広めていかれたのである。特に七十代後半以降、最晩年に書かれた『御文章』には、「たすけたまへとたのむ」という表現を頻繁に用いられるようになっていくが、ここに、「たのめ、たすくる」という如来の仰せに、わが身をゆだねきっている信相が、浄土真宗の言葉としてありありと表現されることになったのである。この「たすけたまへとたのむ」という信心表現こそ、上人の長きにわたる伝道活動の集大成といえるものであった。[2]

三　終わりに

『蓮如上人遺徳記』に、

しかれば祖師上人より以来、一念帰命のことはりを勧といへども念持の義を教えず。爰に先師上人この義を詳かにして、无智の凡類をして明かに難信金剛の真信を獲得せしむることを致す。まことにこれ先師上人の恩徳なり。

（『蓮如上人遺徳記』〈『浄土真宗聖典全書』五　相伝篇下・一二八〇頁〉）

とあるように、「一念帰命のことはり」を勧めていくのが、宗祖以来の伝統であった。先の『蓮如上人御一代記聞書』にも、「聖人（親鸞）の御流はたのむ一念のところ肝要なり。ゆゑに、たのむといふことをば代々あそばしおかれ候へども、くはしくなにとたのめといふことをしらざりき」と記されていたように、「たのむ」という言葉を、信心をあらわすキーワードとして、代々の善知識方は教化されてきた。しかし、「念持の義を教えず」、「くはしくなにとたのめといふことをしらざりき」といわれるように、「たのむ」といっても、一体どのようにたのめば良いのか、ということまでは明らかにされてこなかった。

そこで蓮如上人は、「たのむ」という言葉を信心表現の中心に置き、さらにその内容を「雑行をすてて後生たすけたまへと一心に弥陀をたのめ」と、具体的に示していかれたのである。まさに、浄土真宗の信心の内実を大衆に分かりやすくあらわし、息吹を吹き込んでいかれたのであった。この信心の内実を詳しく明かされたからこそ、蓮如上人はご再興の上人と称せられるのである。

本願寺教団の独自性を打ち出し、教団を強固なものへと築いていかれた上人の功績は、はかり知れないほど大きいものがある。しかし、単に教団の規模を拡充されたことをもって、ご再興の上人と称せられたわけではない。むしろ、教団の規模を飛躍的に拡充できたのも、浄土真宗の信心の内実を詳しく示され、それを平易にかみくだくように、民衆の方々へ伝道していかれたからこそ実現したのである。

蓮如上人は親鸞聖人から連綿と伝承されてきた「弥陀をたのむ」という、浄土真宗の信心の要を、誤ることなく、しかも在家止住の一文不知の方々にも通じる言葉で示し、伝道していかれた。この蓮如上人の伝道によって、浄土真宗の教えは確かに大衆のなかに染み込んでいったのである。まさに信心の内実を明らかにして、我々一人ひとりが信心をいただくことの大切さを、生涯にわたって説き続けてくださった方、その方こそご再興の上人、蓮如上人であった。

注

〈1〉『増補改定 本願寺史』第一巻（二〇一〇年・本願寺出版社）、釈徹宗『ブッダの伝道者たち』（二〇一三年・角川学芸出版）を参照。

〈2〉梯實圓ほか著、浄土真宗教学研究所編『蓮如上人―その教えと生涯に学ぶ』（一九九五年・本願寺出版社）、稲城選恵『蓮如上人の生涯とその教え』（一九九二年・探究社）、梯實圓『光をかかげて―蓮如上人とその教え』（一九九六年・本願寺出版社）を参照。

第四幅

第四幅・第一図

「南殿隠居」

延徳元(一四八九)年八月二十八日　季節秋

七十五歳の蓮如さまは、山科本願寺の南殿(なんでん)に隠居され、正信偈と和讃六首引きの勉強会をされています。初秋が近づき、柿やしいたけを持ってきたご門徒も描かれています。

物語

延徳元（一四八九）年八月二十八日、蓮如さまは本願寺の留守職（門主職・住職）を実如さまにお譲りになられ、山科本願寺の一画に南殿と呼ばれる隠居所を建ててお住まいになりました。そこには長年苦労を共にしたお弟子の慶聞坊龍玄さまや法専坊空善さまらが絶えず集まって来て、法味豊かな時間が流れていました。怒り狂う荒波のような蓮如さまのご生涯のなかにあって晩年に訪れた平穏な老後のひとときでした。その空善さまは『空善聞書』に、その南殿の豊かな宗教的雰囲気を伝えてくださっています。

お晨朝（朝のおつとめ）で、『高僧和讃』の「いつつの不思議を説くなかに」から「尽十方の無碍光は　無明の闇をてらしつつ　一念歓喜するひとを　かならず滅度にいたらしむ」までの六首をおつとめになり、その日、蓮如さまはこれらのご和讃のおこころについてご法話をされました。そのとき、『観無量寿経』の「光明遍照十方世界（阿弥陀さまの光明はひろくすべての世界を照らす）」というご文と、親鸞さまの師・法然さまの、

月かげの　いたらぬさとは　なけれども
ながむるひとの　こころにぞすむ

（月の光のとどかないところは一つとしてないが、月はながめる人のこころにこそ宿る）

という歌を引きあわせてお話になられました。そのありがたさはとても言葉で言いつくすことはできませんでした。お話が終わり蓮如さまが退出された後で、北殿さま（実如さま）は参詣された人々に向かって、昨日と今日の蓮如さまのご法話とを重ね合わせて、ご自身のお領解を述べて「まったくいいようのないありがたいご法話であった」と仰せになり涙をとめどなくこぼされたそうです。

如来の大いなる慈悲のはたらき（光明）は十方世界を普く照らしていますが、ただ大悲の本願信じて念仏する人だけが如来の光に包まれていると述べられたのです。

コラム

後継者問題

後継者問題は、今も昔も難しい。特に、世間が認める立派な先代であればあるほど後継者は躊躇するのではないだろうか。

蓮如上人から実如上人（光養丸）へとバトンタッチする時も、どうやら実如上人は二つ返事とはいかなかった。その様子を『栄玄聞書』が伝えている。

蓮如上人は実如上人に対して、継職を拒否するのは「世間にしては御親不幸にて候。仏法においては師匠の命をそむかれ候」といって継ぐことを促したというのだ。

それでもなお実如上人は、自分は無学であるから「天下の御門徒のものを、なにとして御勧化あらうずる」とためらわれた。

すると蓮如上人は、無学のことは心配することではない。かえってその方がよろしいといい、そして『御文章（御文）』を示されて、これによって人々を教化しなさいと勧められ、ついに実如上人が本願寺を継職されたという。蓮如上人は自らあらわされる『御文章（御文）』を「如来の直説」といわれたのである。

第四幅・第二図

「出口団子」

文明七(一四七五)年～文明十(一四七八)年頃
季節秋

越前は吉崎を退去し、命辛辛でたどり着かれたのが枚方（ひらかた）は出口の地といわれています。村人に団子の作り方を教えておられる穏やかな様子が描かれています。

物語

蓮如さまは文明七（一四七五）年八月、越前吉崎を退去され、丹波・摂津を経て河内出口に来られ、出口坊舎、後の光善寺を建立されました（本書92ページ）。そして、この出口の地を拠点に三年間、畿内一円を教化されたと伝わっています。

当時、摂津、河内、大和、和泉、近江などの近畿一円は親鸞さまのみ教えとは大いに異なる異義や異端がはびこっていました。み教えが書かれた経典やお聖教を自己流で勝手に読み、間違った教えをあちこちでひろめ、お布施の多少でお浄土へ生まれるか生まれないかということをいう「施物だのみ」の異義に陥っている僧侶もいました。

そのような状況を蓮如さまは悲しみ、教化のために出かけられ、また「御文章」を書かれて、他力の信心の正しい領解を明らかにされました。そうすると、乾ききった大地に水が沁み入るように教えが広まっていくのでありました。

蓮如さまは教えを請い求める人には、諄々と教えをお示しになられました。その様子がうかがえるご旧跡が光善寺の近くに残る「腰かけ石」です。出口の門徒衆が教えに関する疑問を蓮如さまに聞くと、懇切丁寧に石に腰かけて説かれたといいます。

また蓮如さまは出口の村人たちに、米の粉だけでついた団子の作り方を教えられたといわれます。貴重な米粉も平座の精神で一緒召しあがられたのでした。

蓮如さまがご往生された後には、その「腰かけ」にちなみ、出口地域の各家庭では「石もち」という団子を春のお祝いごとの時に毎年作っていたようです。

その団子が、出口御坊と呼ばれる光善寺の参拝者のお土産として販売され親しまれるようになり、今でも「出口団子」は当地の名物として親しまれております。

コラム

蓮如上人から教わった味

「出口団子」を今に伝えるのが、京阪「光善寺」駅の駅前商店街にある和菓子店「遠州屋」さんです。

蓮如さまが滞在された出口御坊・光善寺の前住職・故藤原暢信さんの勧めで、出口の集落の各家庭に伝わっていたお団子を商品化、商標登録して販売しています。白とよもぎの二種類があり、米粉でついた餅に木型で模様を付けたお餅にこしあんをくるんだ素朴な味は人気です。

お店を受け継いだ現在の店主、峰正勝さん(36)は、「添加物を一切使わず、作り置きしません。蓮如さんから村の人たちに伝わった味を大切に守りたいです」と話しました。過去には、全国菓子工芸大品評会で優秀賞を受賞した名品です。

遠州屋（枚方市北中振三丁目二〇―一七）
電話072（832）5038

出口団子

遠州屋

第四幅・第三図

「大坂坊舎の建立」

明応五(一四九六)年九月頃　季節秋

十五、六歳くらいの童子の姿をした聖徳太子のお遣いが現れて、四天王寺から北の方に素晴らしい土地があるので、案内しましょうといって、蓮如さまを大坂の地に導きます。そして、蓮如さまが指し示した土地を掘ると瓦が次々と出土し、水が涌きでてきています。

物語

明応五（一四九六）年の秋の頃です。蓮如さまは堺にいく途中で交通の便がよく、戦となっても守りに有利な土地を見つけられました。その地こそ「摂州東成郡生玉の庄内大坂」です。み教えを伝えることを第一に考えられていた蓮如さまは、瀬戸内海の海運を利用し広く西日本地域にみ教えを広めようとされたのでした。

九月二十九日に坊舎の建立を始められ、蓮如さまは坊舎を建てた理由を語られました。

「栄華栄耀を好み花鳥風月を楽しむために建てたのではありません。信心決定の行者が繁昌して、念仏を申す人びとが出てくること願ってのことです」と。

現在の大都市の礎は、まさに蓮如さまの大坂坊舎の建立に始まるのです。

蓮如さまがこの地をお通りになられた時に、十五、六歳くらいの童子（子ども）の姿をした聖徳太子が現れて、四天王寺から北の方に素晴らしい土地があるので、案内しましょうというお告げによって、蓮如さまを大坂の地に導かれたのでした。指し示した土地を掘ると瓦が次々と出てきて、水が涌き出たのでした（奈良時代などには難波宮が営まれた地だったので、礎石が出たとも考えられます）。

また、大坂坊舎が出来上がってからのことです。そこで夢を見た女性がいました。夢の中で、部屋いっぱいに南無阿弥陀仏の名号が幾千万幅ともしれず掛けられていたというのです。次の日、蓮如さまの内室である蓮能尼さまにそのことを話しますと、その夢は本当のこと、他に建立した御坊はご門徒の懇志によって建てられたものですが、この大坂の坊舎は名号を書いたお札をためて建てられたと蓮如さまが話しておられたというのです。

そのため、この大坂坊舎を「名号坊舎」ともいうのです。

コラム

本願寺の富

蓮如上人のお陰で本願寺は日本一の大金持ちとなり、大坂の本願寺は永禄二（一五五九）年には寺院の最高の位である門跡が勅許されたのである。

その二年後の永禄四年八月十七日付けのキリスト教の宣教師ガスパル・ヴィレラの手紙には、「この宗派（本願寺）は信者が多く、庶民の多数はこの派に属す。常に一人の僧を頭にいただき、死したるものの跡をつぎ宗派の創立者の地位に立たしむ。……諸人の彼にあたえる金銭ははなはだ多く、日本の富の大部分はこの僧の所有なり。毎年、盛んなる法会（報恩講）をおこない、寺に入らんとして門に待つもの、その開くにおよび、きそいて入らんとするがゆえに、常に多数の死者を出す」（『イエズス会士日本通信』）とある。

現在はどうか。寺に人がどうしたら来てくれるかばかりを僧侶が考えている。門を開けば競い合い入りたい寺にするためには、蓮如上人の大坂建立の意味を確かめる必要がある。

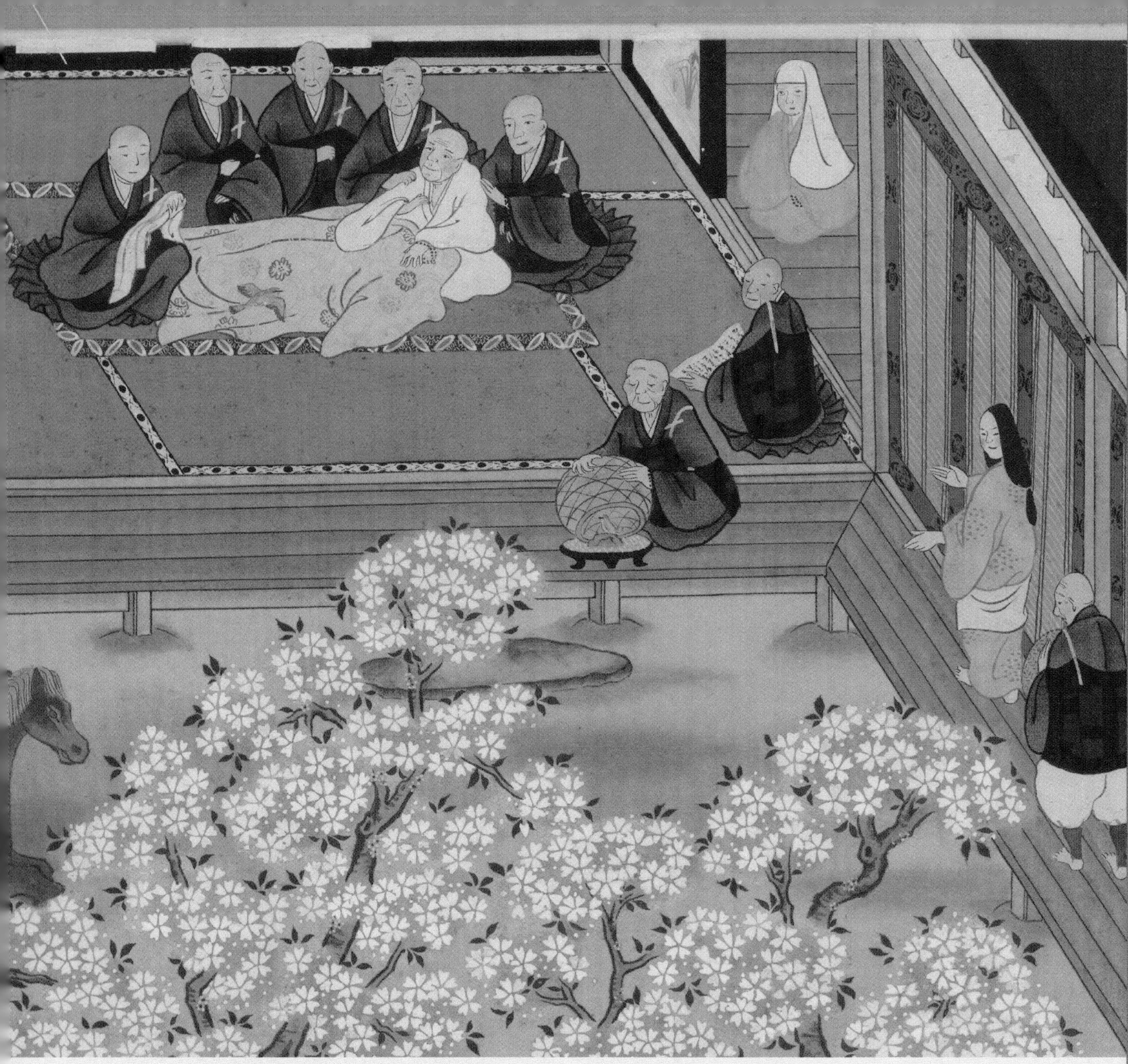

第四幅・第四図

「ご往生」

明応八(一四九九)年三月頃　季節春

山科本願寺の南殿には、空善(くうぜん)さまが吉野から取り寄せた桜、可愛がられた愛馬が庭に描かれます。体の不調を訴えられるようになられた蓮如さまの周りには、実如さま、蓮淳さま、蓮綱(れんこう)さま、蓮誓(れんせい)さま、蓮悟(れんご)さまが囲まれ、慶聞坊(きょうもんぼう)さまが御文章を拝読します。

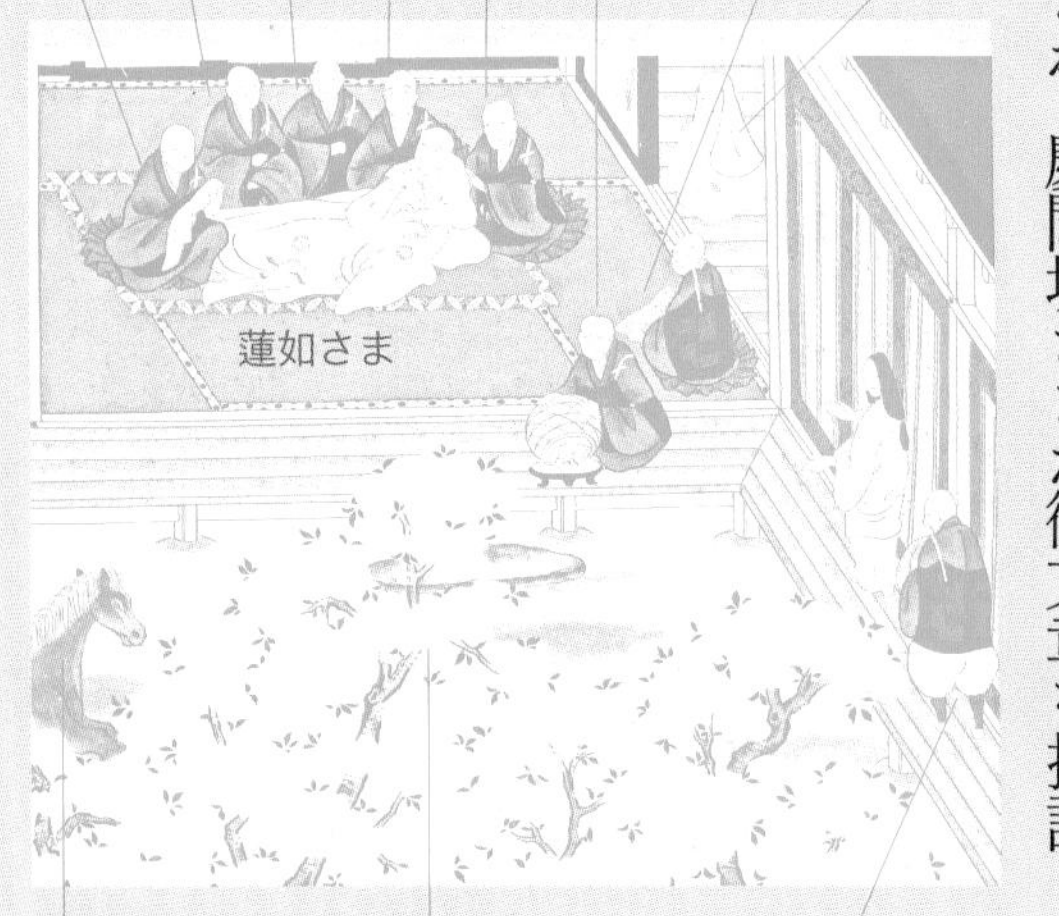

物語

蓮如さまは八十四歳の明応七年四月ころより体の不調を訴えられるようになります。翌明応八年二月には、病状が一段と悪化しましたので、大坂御坊に葬所の用意をしました。しかし、にわか（突然）に予定を変更して山科にて往生することに決めました。

それは門徒の人たちの参詣する場所が、山科本願寺のほかに大坂にもできてしまうことを懸念されたからでした。翌日には御影堂に参詣して、親鸞さまの御影にお目にかかれたことをよろこび、二十五日には土居や堀をめぐられました。翌々日には、また御堂に参詣して、その帰りに乗り物を後ろ向きにかかせて、集まった門徒の人たちとお別れをしました。そして「一念の信心をよくよくとられ候へ」と実如さまたちにご遺言をなされました。

三月三日には、吉野からおくられてきた桜の花をみて「さきつづく　はなみるたびに　なおもまた　いとねがわしき　西の彼岸」、「おいらくの　いつまでかくや病ぬらん」「けふまでは　八十地いつつにあまる身の　ひさしくいきじと　しれやみな人」と三首の和歌を詠まれました。

九日には門弟の法専坊空善さまがさしあげた鶯の声を聞いて、「鶯は法を聞けと鳴いている、親鸞さまの門弟であるならなおさら法を聞かなければ」といわれ、また慶聞坊龍玄さまに「なにか読んで聞かせよ」と、山科御堂建立の御文章など三通を読みあげるのを聞かれると「ありがたいことだ」と聞きいられました。愛馬とも別れをつげられました。十八日には、重ねて「かまえて我なきあとに、兄弟たち仲よかれ、ただし一念の信心一味ならば、仲もよくて聖人の御流義もたつべし」と実如さまたちを誡められました。

二十二日から、蓮如さまのお顔が親鸞さまに似て、二十五日の正午には念仏の息がとまり、ご往生されたのでした。

コラム

臨終法話

蓮如上人のご法話（法談）は、いつも臨終法話であったといわれる。「仏法には明日というふことはあるまじき」といわれる。浄土真宗の法話は臨終法話だから、今が終いでも間にあっている。

上人七十二歳（文明十八年）に和歌山県海南市の冷水に行かれ、了賢のところで作四郎という同行（ご門徒）の臨終に際し書かれた御文章が、信心獲得章だといわれている。

蓮如上人が書かれた御文章を慶聞坊が作四郎に読み聞かせた。「信心獲得すといふは第十八の願をこころうるなり。この願をこころうるといふは、南無阿弥陀仏のすがたをこころうるなり」と朗々と読み始め、『煩悩を断ぜずして涅槃をう』といへるはこのこころなり」のところで彼は息が絶えたといわれる。作四郎は喜んで南無阿弥陀といい「仏」という声は聞こえず命終した。

いつでも、どこでも誰にでも自らが求めるより先に阿弥陀如来の救いのはたらきが先手で届いているから、間に合うのである。

第四幅・第五図

「遺骸拝礼」

明応八(一四九九)年三月二十五日夕方
季節春

蓮如さまのご遺骸は、御影堂の御真影の右側におかれた曲彔に乗せられ、大勢の門徒が群参しました。

蓮如さま　群参する門徒や僧侶

物語

明応八（一四九九）年三月二十五日の正午にご往生された蓮如さま。その夕刻には「聖人の御前にて人にも見せよ」（『空善記』）という遺言によって、山科本願寺の御影堂の御真影（親鸞聖人御影）の右側においた曲彔に乗せられました。これは蓮如さまの姿をみて悲歎することをご縁として、信心を獲得してほしいとの願いによるものでした。

曲彔に座られているような蓮如さまのお顔は親鸞さまにそっくりで、「親鸞さまの生まれ代わりにちがいない」と数万の門徒の人たちは別れを惜しみました。

コラム

慶聞坊龍玄

蓮如上人はすぐれた宗教者、伝道者であると同時にすぐれた教育者でもあった。沢山の優秀な弟子を育てられている。『蓮如上人御一代記聞書』にしばしば登場する慶聞坊龍玄（一四四五～一五二〇）は、幼い頃から上人に教育された弟子だった。実悟によって著された『天正三年記』に以下のようにある。

蓮如上人の継職前のこと。父存如上人に帰依していた近江は湖南の金森衆の中心人物だった道西の道場へ行かれたときのことである。近所の子どもたちが集まって遊んでいるのをご覧になっていたが、その中の一人に目をとめられ、道西に「あの子どもは誰だ」と尋ねられた。「あれは私の甥でございます」と答えると、「利口そうないい子だ。私に（預けて）くれないか。育ててみたい」といわれた。道西が「お目にとまりましたのも仏縁でございましょう。どうぞお召し使いください」というので、東山大谷の本願寺に連れて帰り、わが子のように教育されたのである。さすが上人が目を付けられただけあって、やがて学徳兼備の名僧となって、本願寺を支えていく大器に育っていった。

龍玄は、若い時から上人のお伴をして各地を遍歴した。文明三（一四七一）年、上人が吉崎に進出されたときも活躍したが、文明七年八月二十一日の夜、危機の迫る吉崎から決死の退去をされた時もお側につき従い、ともに小舟に乗って上人を護り、若狭の小浜に上陸。上人は二カ月ほど若狭国に滞在し畿内の様子をうかがいながら、若狭各地を教化された。

鳥羽谷に出かけられた時、飛長権守という村の長が上人に帰依し、「ここに道場を建てたい。お弟子の一人にとどまっていただき、ご教導をお願いします」と申し出た。そこで上人は、慶聞坊に法義を伝えるよう命じた。慶聞坊はそこに建てられた報恩寺の開基となり浄土真宗をひろめた。

数年が経ち山科本願寺が完成した頃、慶聞坊を呼び返し、彼は教団の舵取り役の一人として活躍したのである。

第四幅・第六図

「荼毘」

明応八（一四九九）年三月二十六日　季節春

蓮如さまを荼毘にふすのですが、ここには阿弥陀如来が描かれ、蓮如さまは阿弥陀如来の化身であったこと、またその阿弥陀如来の摂取の光明のなかに私たちも摂めとられていることがあらわされています。門徒が群参する中、慶聞坊龍玄さまが導師を務めている姿があります。

慶聞坊龍玄さま

物語

蓮如さまのご葬儀は多くの門徒や僧侶が群参してしまい危険な状況になることを憂慮して予定を早めて執り行われることとなりました。

山科本願寺から少し離れた場所に設けられた葬場に、実如さまをはじめ一家衆、御堂衆、諸国の坊主衆、門徒衆など多数の人々が集って、執り行われました。

慶聞坊龍玄さまが導師を務めて、蓮如さまの遺言だった宗祖・親鸞さまの和讃三首がしめやかに誦されました。

無始流転の苦をすてて
　無上涅槃を期すること
恩徳まことに謝しがたし
如来二種の回向の
南無阿弥陀仏の回向の
恩徳広大不思議にて
往相回向の利益には
還相回向に回入せり

如来大悲の恩徳は
　身を粉にしても報ずべし
　師主知識の恩徳も
　　ほねをくだきても謝すべし

実如さま、一家衆の焼香が行われ、遺骸に点火されました。百人ばかりが一晩中御番をつとめ、翌三月二十七日にご遺骨は拾われました。まず、実如さまが、ついで子息の方々と火屋の中につづき、参列の人々も拾ったので下の土も掘り起こして、日本各地に持ち帰ったのでした。

蓮如さまは歌を遺されました。

後の世に　我が名をおもひ　出しなば
　弥陀のちかひを　ふかくたのめよ

ご生涯をかけてお伝えくださったのは、あなたを必ず救うと誓った阿弥陀如来のご本願でありました。そのご本願を聞いて救われた多くの人々が集まった大教団は、宗祖・親鸞さまのご法義を再興させたものでした。

コラム

最高の弔辞

ご葬儀に際して弔辞や弔電が披露されるが、故人に対する敬意ある態度なのだろうか。「御冥福を祈る」「安らかに眠れ」というが、冥とは「光がない。くらい」という意味でそこには福があるのだろうかと思うし、「安らかに眠れ」というが、安らかに眠らなければ都合が悪いのか。悪霊となり生きた人に対して危害を加える存在が死者なのかとも考えてしまう。

故人に対して最高に敬意ある姿勢というのは、死を悼み「あなたの死を無駄にしない」という姿勢ではないか。

「朝には紅顔ありて夕には白骨となれる身なり」。蓮如上人の「白骨の御文章（御文）」が伝えられているが、これこそ最高の弔辞ではなかろうか。山科本願寺におられた時、青木民部の娘が嫁入り前、十七歳で亡くなるなど近くの村で三日のうちに三人が次々と急死した。はかなき人生、答えのない人生の問いに対し、私がお念仏申す身にさせていただくことにおいて死は無駄にならないと、死を私の問題とし、如来の救いを説かれたのである。

第四幅・第七図

「大坂一乱」

永正三（一五〇六）年

永正三（一五〇六）年のこと。「われわれ摂津・河内の門徒は、今まで戦いに加わったことはない。急に戦えと命じられても、どうにもならない。親鸞聖人以来わが浄土真宗は武器をとったことは全くない」と、門徒衆が大坂御坊に全力で訴えています。

物語

蓮如さまがご往生されてから後の時代は、全国が戦乱状態となっていた戦国時代でした。実如さまは、戦国大名と大教団となった本願寺との均衡をうまくとらなければならず、大変な苦心をされたのでした。

大坂・河内を本拠地とする守護大名の畠山尚順・義英と室町幕府の実権を握っていた細川政元とで戦乱となりました。誉田城、高屋城（ともに現在の大阪府羽曳野市）を攻めていた細川はなかなか攻め落とすことができず、永正二（一五〇五）年に山科本願寺におられた実如さまに摂津・河内の門徒を動員して畠山を攻めるように要請してきたのでした。

戦いに加わりたくない実如さまは、この要請を断るため、山科から大津に逃げておられたのですが、政元はわざわざ大津までやってきて援軍を懇願してきたのです。

政元という人物には、北陸の長享一揆を起こした本願寺を、室町幕府九代将軍の足利義尚が怒った際に仲介してくれた借りがあったのです。

そのため、断り切れなかった実如さまは、援軍を約束してしまったのです。ところが、摂津・河内の門徒衆は、本願寺のご門主が一揆を起こして領主を攻めるように命令したことなどないとして、実如さまの要請を拒否しました。

実如さまは、約束を守らなければならないので、加賀（石川県）から浪人など一千人を呼び寄せて義理を果たしました。

しかし、援軍要請は不当であると摂津・河内の門徒衆は決起し、門主の交替を要求します。実如さまの弟で、大坂坊舎に住んでいた実賢さまを新しい門主にするよう画策した「大坂一乱」が起こるのです。

このことを知った山科本願寺は問題に対処するように、下間頼慶ら二百人余りの手勢を大坂に送りこみ、実賢さまとその母蓮能尼さま、弟の実従さまは大坂坊を追われ、その後しばらく流浪の身となられたのでした。

結局、門主交替を画策した首謀者の五、六人の僧侶を処罰することで一応の決着がみられました。

しかし、翌年の永正四年に政元が暗殺されてしまいました。実如さまは、政元の要請を受けて攻めた責任をとることになり、山科本願寺を退去。その後、実如さまが山科に戻るのは永正六年三月のことでした。

第四幅・第八図

「実順入寺」

文亀二(一五〇二)年　季節秋

第四幅・第九図

「蓮淳入寺」

天文十一(一五四二)年　季節春

上段＝文亀二（一五〇二）年、蓮如さま二十三男の実順さまが西証寺に入寺される。山門前に入寺される実順さまの姿がある。

下段＝天文十一（一五四二）年、蓮如さま六男の蓮淳さまが大津の顕証寺から復興した久宝寺に下向され入寺、河内十二坊が迎える。

物語

久宝寺御坊として親しまれる今日の顕証寺はどのように久宝寺の地に築かれたのでしょうか――。顕証寺の寺号は、滋賀大津が発祥のようです。東山大谷にあった本願寺が寛正六(一四六五)年に、比叡山の衆徒(僧兵)によって壊されて後、蓮如さまは大津に顕証寺(大津南別所)を建てて、本願寺の寺基である御真影を安置されました(本書52頁)。

顕証寺の住職は、蓮如さまの後、長男の順如さま、そして蓮淳さまへと引き継がれていきます。

では、久宝寺の地での始まりはというと、蓮如さまが比叡山から責められた時に、相談相手となった親友的人物・法円さま(慈願寺)を頼りにして久宝寺に来られ、そこに本願寺の別院的な寺院として西証寺を建てられ、そこに蓮如さま十一男の実順さまは入寺されました。

しかし実順さまは永正十五(一五一八)年に二十五歳の若さでご往生されてしまいます。その跡を継いだ、実順さまの長男・実真さまも亨禄二(一五二九)年、わずか十三歳で世を去られました。

実真さまが往生された後に、蓮淳さまを久宝寺御坊に招いたのは「河内十二坊」と呼ばれる有力寺院でした。十二坊は証如さまに対し蓮淳さまの入寺を要請しましたが、ちょうどこの頃は天文一向一揆の動乱期で、天文四(一五三五)年に一揆(本願寺方)は敗北します。その翌年、門徒衆の久宝寺への還住が許可され、天文八年に蓮淳さまの長男・実淳さまが西証寺の住職となられます。しかし、実淳さまは天文十一年五十一歳で往生されたので、蓮淳さまが入寺されたのでした。絵には、蓮淳さまが久宝寺に来て喜ぶ実淳さまの末娘・あくり(慶妙)さまの姿が描かれます。その十二坊とは、妙楽寺、明教寺、真蓮寺、西念寺、覚永寺、光乗寺、元勝寺、西楽寺、光宗寺、正光寺、光福寺、浄国寺であり、これらの寺院が久宝寺御坊を支えていかれたのです。

コラム

血脈――法義の伝統

蓮如上人というと、多くの子がいて、その子により教えが広まったから、「世俗の血統」を血脈というのだろうと誤解する人も多いが、本当の意味は異なる。

「血脈」というのは、元の意味は血管のことで、心臓から流れ出て全身を巡る血管が切れ目なく続いていくように、仏法が師から弟子へととぎれることなく続いていく法義の伝統・系譜のことを仏教では血脈という。

蓮如上人の門弟に法敬坊順誓がいる。順誓をまじめな人物と見込んだ上人は、彼を剃髪させて僧分に取り立て、名を与え徹底した教育を施した。

後年、法敬坊は、大坊主分の前で涙ながらに、「私はもと輿をかく下部でありましたが、上人のおかげで、法衣を頂戴し、僧侶にしていただいたばかりか、こうして皆様の上座に座ることを許され、仏法をお取り次ぎさせていただく身にしていただきました。まことにもったいない」と述べたという。信心のある僧侶を最も大事にされた蓮如上人、血脈の伝統である。

第四幅・第十図

「久宝寺寺内町形成」

戦国の争乱、大地震など幾つもの困難を乗り越えて築き上げられた久宝寺寺内町。本堂の大屋根を中心に穏やかな町なみが描かれています。描かれる現在の本堂は正徳六（一七一六）年に再建されました。

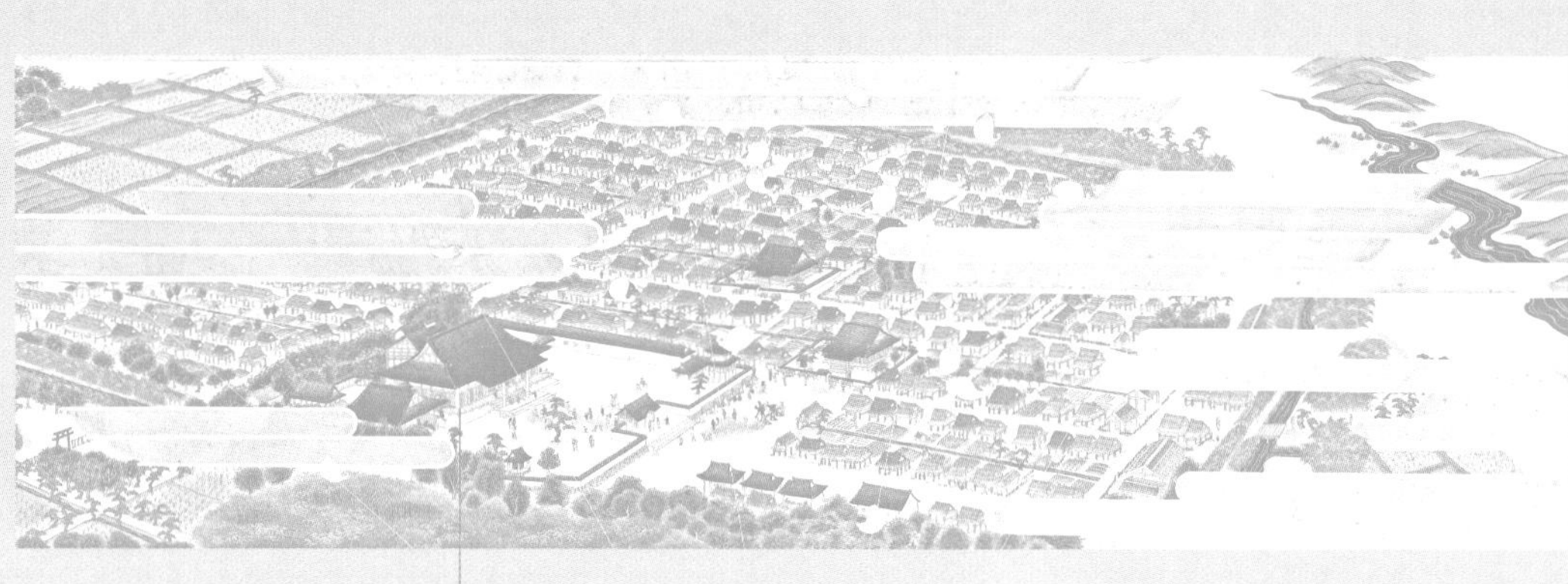

顕証寺

物語

実真さまがご往生されたちょうどその頃は、守護と百姓が争う「天文の一向一揆」（一五三二〜三五）が戦われ、久宝寺の町も焼き払われ、そこに住まう人たちも一時は住むことができない状態になるほど荒廃していましたが、後に入寺された蓮淳さまはお寺のあった場所に顕証寺を復興され、本願寺はここ久宝寺顕証寺と出口光善寺を「御坊」と呼んで町づくりに全力を投じました。寺院の周囲には町屋が建ち並び、町屋の外側は濠（堀）と土居（土塁）で囲まれていき、町全体がお寺の境内のような「寺内町」ができていきました。

寺内町では、守護大名からの年貢（税金）や使役の義務から逃れることができるなど、権力者によって虐げられてきた民衆にとって「仏法領」の久宝寺寺内町は新天地、現世に現れた極楽浄土のよう

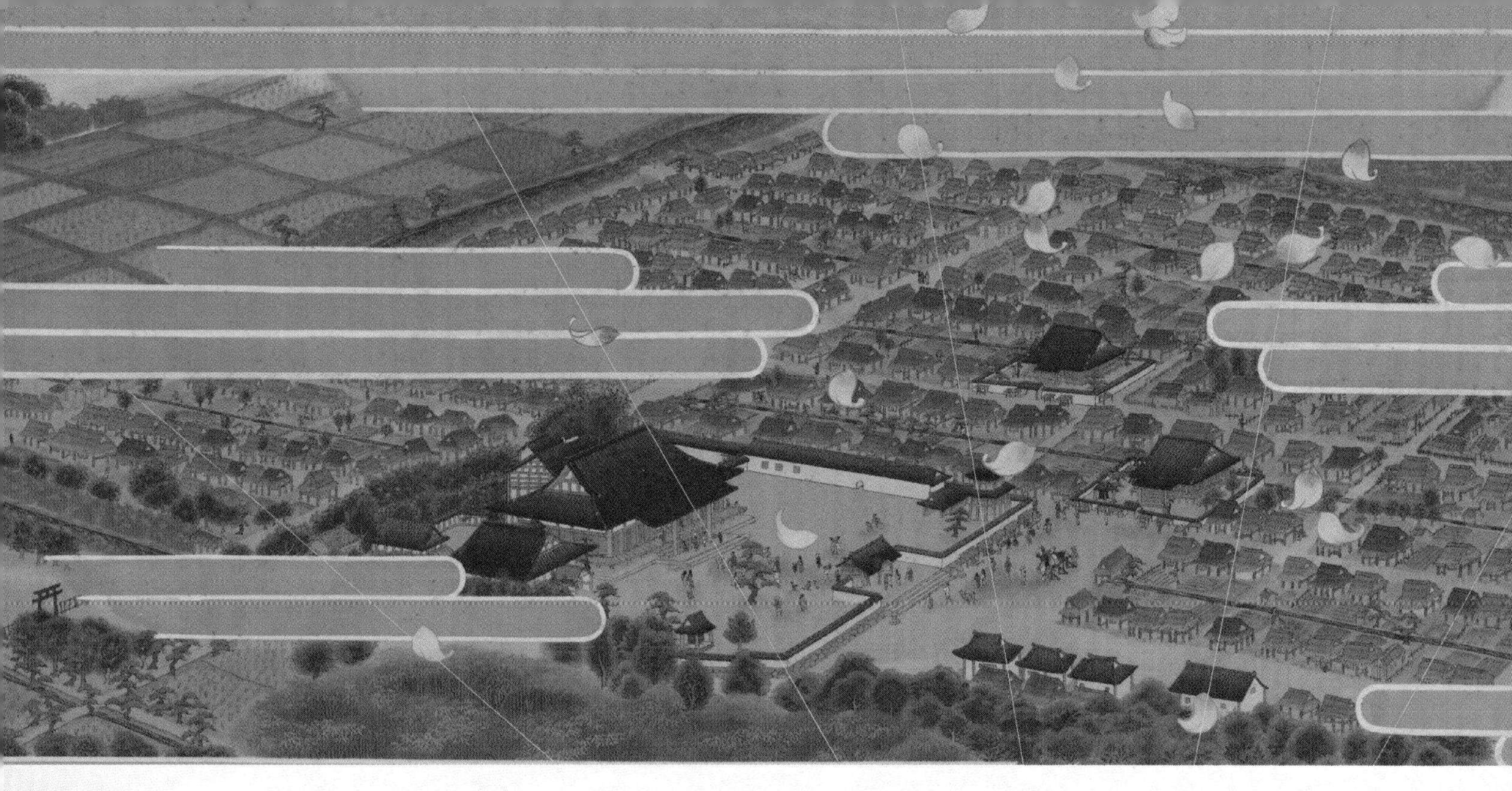

な場所となりました。

豊臣秀吉によって行われた太閤検地によって寺内町としての特権は失ってしまうものの、寺内町は「久宝寺御坊の鐘の聞こえるところに住みたい」と集まってきた門徒衆の方々によって繁栄します。

◇

さらにこの地が大きな発展を遂げたのは、江戸時代の大和川付け替え事業がありました。大和川がもたらす水流のお陰により河内平野は肥沃な土地を持つことになり、田畑が開かれて多くの作物を生産することができました。ところが、この大和川が西北に流れ込む柏原村あたりでは、河の土砂が常に溜まり、天井川の様相となり、大雨に遭えば堤防が決壊し、洪水で周囲の田畑は水没する被害が恒常的に起こっていたのです。このような危機的状況を回避すべく、河内の農民や武士は治水事業に取り組んだのでした。代表的なのは元禄期（一六八八～九九）の河村瑞賢や中甚兵衛です。最終的には幕府による工事で宝永元（一七〇四）年に付け替えの大事業は成し遂げられます。付け替えた川の総延長は約一四・七キロ、幅は一〇八メートル。工事日数は二百二十五日、総工費は七万一千五百三両、現在の金額に換算すると百四十三億円というから驚きです。

これによって沼地という湿地帯がどんどん新田に変わっていき、大阪府東部地域は綿花の一大生産地域となります。いわゆる河内木綿です。

宝永四（一七〇七）年、南海トラフ巨大地震「宝永の大地震」（マグニチュード8・6）が発生して壊滅状態となりました。それでも十九年後の、正徳六（一七一六）年に顕証寺の本堂が再建されます。享保六（一七二一）年には顕証寺新田がつくられていったのでした。

コラム

寺内町

蓮如上人の意思によって次々と設けられることになった寺内町は、同時代の民衆から熱い支持をえて、その後も畿内各地には、新たな寺内町が続々と誕生するのだった。この寺内町群は、織田信長により徹底的に解体されてしまうのであるが、にもかかわらず、門徒衆の「町づくり運動」は止むことなく新たに在郷町の建設運動として近世へと受け継がれていくのである。

そしてこの門徒衆の精神は、もう少し鳥の目でみれば、久宝寺寺内町の安井道頓の大坂道頓堀の開削、畿内から江戸に移住した佃島の門徒衆による築地一帯の埋め立て事業、能登・加賀の一向衆による越後蒲原湿原への入植と水田化、北陸や山陰、近江などの門徒が天明飢饉の後に福島県相双地方に移住した真宗移民などに受け継がれているのではないだろうか。

運河を掘り、海を陸にかえ、荒れ地を美田に変える力は、実は蓮如上人が説かれた「仏法領」の精神が源だったのである。

八尾では毎月十一日と二十七日に、寺内町が栄えていた頃から続いている「お逮夜市」というフリーマーケットが開かれている。かつては久宝寺寺内町から八尾寺内町まで、その市は天神橋商店街のように続いたという。逮夜とは、命日の前日午後二時頃のことで、この時間帯に盛大な法要を営むことから、門前市が立ったのだ。このことから河内一帯では、ご命日よりも逮夜を重んじるようになった。誰の逮夜かというと、十一日は信願坊で、二十七日はご開山・親鸞聖人である。

1960年頃の久宝寺寺内町。道が碁盤目状になっていることが見てとれる

【特集6】

蓮如上人が一目ぼれした地「大坂」

稲城 蓮恵

一 「大坂」と名づける

今をさかのぼること五百年余り、明応五（一四九六）年、本願寺の第八代宗主・蓮如上人は新たな伝道拠点として大坂坊舎を築かれました。時に、上人八十二歳、ご往生される三年前のことでありました。「大坂」の地名が日本の歴史上初めて文献にあらわれたのは、明応七年十一月二十一日のことでした（※大阪と表記されるのは明治時代以降のこと）。

蓮如上人が記されたお手紙「御文章（御文）」〈大坂建立章〉です。

そもそも、当国摂州東成郡生玉の庄内大坂といふ在所は、往古よりいかなる約束のありけるにや、さんぬる明応第五の秋下旬のころより、かりそめながらこの在所をみそめしより、すでにかたのごとく一宇の坊舎を建立せしめ、当年ははやすでに三年の星霜をへたりき。

（そもそもここ摂津国東成郡生玉の庄の大坂という場所は、古い昔からすでに私が坊舎を建てるという約束事でもあったのだろうか、去る明応五年の九月下旬の頃、ふとしたことからこの土地が大変気に入って、早速一棟の仏閣を建てて住むようになったが、それからはや三年の年月が建った）

蓮如上人によって「大坂」という地名が、初めて世に登場したのでした。

その場所はというと、現在の大坂城が建っているあたりだといわれます。大坂城は、大阪市の中央部を南北に横切る小高い台地「上町台地」の北端にありますが、「大坂」という地名は、上町台地の北端にあった小さい坂の名から出たらしく、その頃の記録では「尾坂」（『永正記』）とも「小坂」（『二水記』）とも書かれておりまして、「おさか」「をさか」「おおざか」と呼ばれていました。ただし、それがどの坂を指していたのかは確定していません。大川（旧淀川）の天満橋の東付近より上町台地へ登る「北面の坂」がそれであるとも、奈良街道を西へ進んで猫間川を渡って上町台地を登る「東面の坂」であるともいわれています。最近、津村別院にできた北御堂ミュージアムにできました1000分の一の大坂本願寺のジオラマを見れば、「北面の坂」であるようにも思いますが、ともかくもその坂の名に由来する「大坂（おおざか）」を地名として確定されたのが上人の〈大坂建立章〉でありました。

大坂本願寺の推定地でもある大阪城公園

大坂本願寺のなごりである極楽橋からのぞむ大阪城天守閣

そして、蓮如上人が著された〈大坂建立章〉に「虎狼のすみか」といいますように、畑はあったが人家は一つも見えない寒々とした場所であったのでした。しかし、上人はその土地こそ、西国伝道の拠点とする絶好のロケーションであると見抜かれたのでありました。北と東を淀川と大和川（昔の大和川）の大河が囲み、西は瀬戸内海となっているこの台地は、まさに天然の要害であったのです。しかも背後には当時、日明貿易が盛んであった堺という海外、ヨーロッパにも通じる貿易港をひかえて、水陸にわたる交通の要衝であったのです。ここに立てば摂津、河内、和泉と広がる畿内の諸国が手に取るように見えます。まさに西国一円の扇の要のような土地であった地を上人が史上初めて「大坂」と名づけられたのでありました。

大坂城公園内にある名号碑。毎年、蓮如上人の祥月命日にはここで法要が営まれ、「大坂建立の御文章」が拝読される

二　門徒の町づくりエネルギー

このような要衝の地・大坂を権力者が欲しがらない訳はありませんでした。

かの織田信長が言います。『信長公記』に「大坂はおよそ日本一の境地なり。その子細は、奈良さかい京都ほど近く……西は滄海漫々として、日本の地は申すにおよばず、唐土・高麗・南蛮の舟、海上に出入し、五畿七道を集めて売買の利潤富貴の湊なり」と。

天下統一をもくろむ織田信長と本願寺との十一年に及ぶ石山合戦の末に天正八（一五八〇）年には、第十一代宗主・顕如上人は大坂の地を明け渡され、紀伊鷺森（和歌山）への退去を強いられました。しかし後に、顕如上人は泉州貝塚（大阪府貝塚市）へ移り、豊臣秀吉が信長亡き後に柴田勝家を近江の賤ケ岳で破り、天下統一を果たした天正十三年、顕如上人に天満での本願寺再興を命令し、天満本願寺の土地を寄進したのでありました。

秀吉は天正十一年に大坂城の築城を始め、それに並行して「大坂の町づくり」を開始します。天満本願寺の土地として寄進した土地というのは、大坂城の北西の地で、淀川が大阪湾に流れ込む河口の中洲が点在する場所で、その内淀川の本流から南に分流する大川との間に中島ができていて、そのわずかな安定地を利用して大阪天満宮が造られていました。ところが、ここはしばしば洪水を引き起こすことがあったのです。秀吉が、天満本願寺の土地を寄進したのは、御影堂と阿弥陀堂を中心とした寺内町を地盤工事から行うことができる門徒たちの町づくりエネルギーが欲しかったからでしょう。第十代・証如上人の三十三回忌を天正十四年に控えて、顕如上人が御影堂を完成させたいことも、おそらく計算づくのことだったのでしょう。

秀吉の思惑通り、短期間で天満本願寺、大坂の町づくりは急激に進みます。淀川を水上交通として、山城（京都）からも人が訪れます。その天満本願寺の寺内町には、領地争いのもつれで天皇の怒りをかってしまった山科言経が冷泉為満、四条隆昌とともに身を寄せます。山科家は有職故実（法令、儀式、古事）をもって朝廷に仕えていた家で、言経も故実に明るく、医術にもすぐれていたので、本願寺一門の人や寺内町の住人の病気治療や学問教育にあたったといわれています。その言経の日記であります『言経卿記』には天満本願寺の寺内町の繁栄が描かれていますが、この天満本願寺と同時期に造られた秀吉の城下町が江戸時代にも引き継がれていくことになりました。江戸時代における大坂城の城下町は、北組・南組・天満組の大坂三郷が中心でした。北組・南組は、いわゆる船場の北と南にあたります。そして天満は、天満本願寺の寺内町が基礎となってできた町でありました。大坂三郷と呼ばれた大坂の街の始まりは、まさに寺内町から生まれたと言えるでしょう。

三　海であった河内平野と蛇骨伝説

寺内町は浄土真宗の勢力の強い近畿、北陸、東海地方に現れました。近畿では、天満をはじめ、摂津富田、出口、萱振、富田林、貝塚、そして久宝寺です。

しかし、寺内町としての機能、自治権は権力者によって奪われることになります。顕如上人が天正八年に大坂を明け渡した翌年、久宝寺寺内町は安井一族の支配下におかれ、文禄三（一五九四）年に豊臣秀吉による太閤検地によって完全に寺内町の特権は消滅することになりました。

久宝寺寺内町に本貫（本籍地）を置き顕証寺との関わりの強かった安井氏ですが、この安井氏というと、現在の大阪の観光名所にもなっている道頓堀を掘削した安井（成安）道頓の一族です。

大阪の繁華街・ミナミを流れ、グリコの看板で有名な道頓堀川は、舟運などを目的に土木家でもあったこの安井（成安）道頓が私財を投じて慶長十七（一六一二）年に開削を始めた人口運河でありました。

道頓堀

道頓自身は、この開削工事の途中に起った大坂夏の陣で戦死してしまいますが、いとこの安井道卜が事業を引き継ぎ、元和二（一六一五）年に完成しました。当初は「南堀川」と呼ばれていたそうですが、夏の陣の後に大坂藩主となった松平忠明が道頓の功績をたたえて「道頓堀」と名づけ、この後に安井家は大坂の南組の惣年寄を務める名家となるのでありました。

また、江戸時代の大坂は、江戸の「八百八町」に対して「八百八橋」とよばれる水の都でした。多くの河や堀に橋がかけられ、船が行き交い、水運によって発展した町でもありました。

そして、私たちの住まう「河内平野」（旧大和川の下流域を中心とする大阪平野の一部）は八千年ほどさかのぼった縄文時代には海だったようです。大阪府門真市岸和田にある弁天池は海であった名残だといわれ、昭和五十一（一九七六）年には東大阪市でクジラの骨が発見されています。さらに、「蓮如上人ご救済の大蛇骨」と呼ばれる顕証寺に伝わる宝物があります。伝承では、蓮如上人の夢に現れた女が大蛇「龍女」に変えられて苦しんでいると訴えたことから、これに仏法を説き聞かせました。その後に海にその大蛇の死体があがり、その骨がこれであるといわれています。この寺宝を二〇一八年、大阪大学総合学術博物館の伊藤謙特任講師らが調査したところ、完新世期（一万年前から現在）のシャチの頭骨で、頭骨の全長は一・六メートル、その全長は推定で七メートルあったと明らかにしました。しかもそれは単なる骨ではなく、化石化したものであると判明。大坂本願寺が建てられた「大坂建立」後に現在の難波別院付近で発掘されたものといわれるのです。

顕証寺に伝わる大蛇骨の寺宝は、遥か縄文時代に海であった河内平野や、その頃から陸であった上町台地、そこに蓮如上人が大坂坊舎を建立され、一度は鷺森にまで退くが、再び大坂天満の地で寺内町を築いて後の商都・大阪につながっていく歴史をもの語る歴史の遺物なのかも知れません。

蓮如上人は、大坂を築かれた理由を〈大坂建立章〉に明言されます。

この在所に居住せしむる根元は、あながちに一生涯をこころやすく過し、栄花栄耀をこのみ、また花鳥風月にもこころをよせず、あはれ無上菩提のためには信心決定の行者も繁昌せしめ、念仏をもうさんともがらも出来せしむるやうにもあれがしと、おもふ一念のこころざしをはこぶばかりなり。

（この場所に住んでいるのは、一生を安穏に過ごし、華やかでぜいたくな生活をしたり、また花鳥風月などに心をよせるためではありません。信心を決定する人も増え、念仏する人々が多く育ってほしいと思うばかりです）

上人が一目ぼれした地で何をなすべきなのか、建立の意図を確かめる時代が今であるように思うのです。

付録　顕証寺関連資料

付録1 本願寺歴代宗主と顕証寺歴代住職

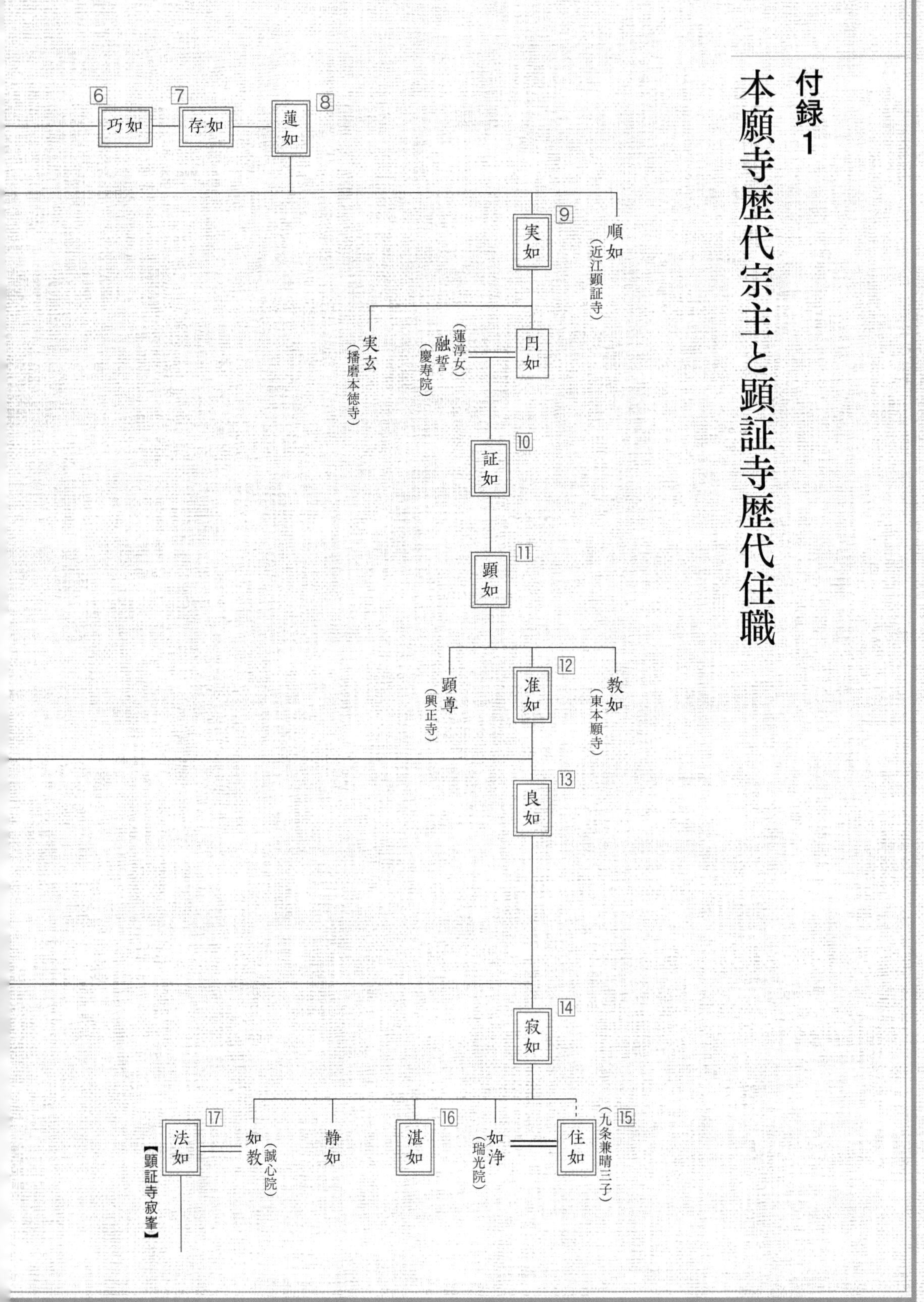

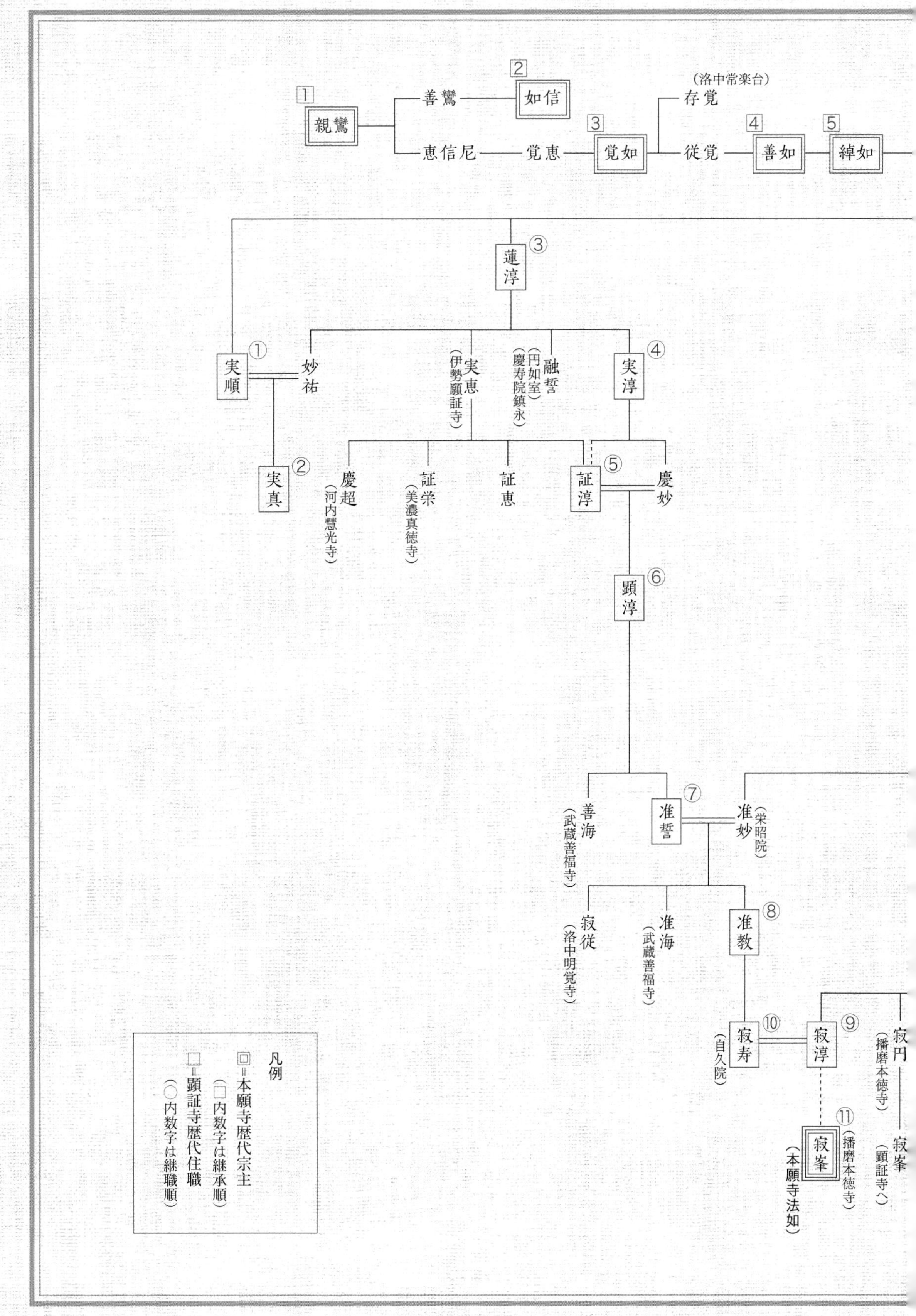

1 親鸞
善鸞
2 如信
恵信尼
覚恵
3 覚如
（洛中常楽台）
存覚
従覚
4 善如
5 綽如
③ 蓮淳
① 実順
妙祐
② 実真
実恵（伊勢願証寺）
融誓（円如室）（慶寿院鎮永）
④ 実淳
慶超（河内慧光寺）
証栄（美濃真徳寺）
証恵
⑤ 証淳
慶妙
⑥ 顕淳
善海（武蔵善福寺）
⑦ 准誓
准妙（栄昭院）
寂従（洛中明覚寺）
准海（武蔵善福寺）
⑧ 准教
⑩ 寂寿（自久院）
⑨ 寂淳
寂円（播磨本徳寺）
寂峯（顕証寺へ）
⑪ 寂峯（播磨本徳寺）（本願寺法如）
凡例
□＝本願寺歴代宗主（□内数字は継承順）
□＝顕証寺歴代住職（○内数字は継職順）

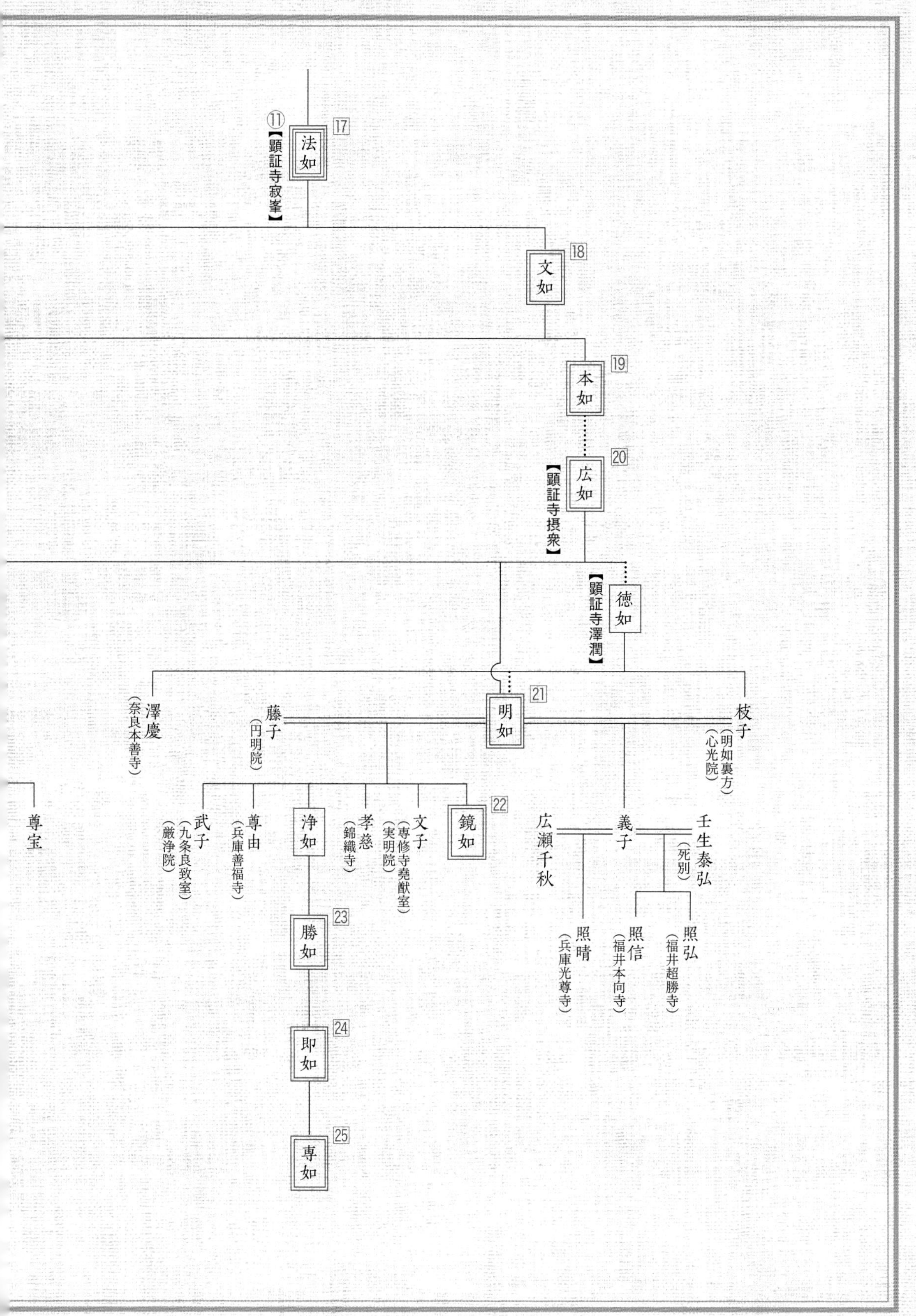

⑪【顕証寺寂峯】
17 法如
18 文如
19 本如
20 広如
【顕証寺摂衆】
【顕証寺澤潤】
徳如
21 明如
澤慶（奈良本善寺）
藤子（円明院）
枝子（明如裏方）（心光院）
尊宝
武子（九条良致室）（厳浄院）
尊由（兵庫善福寺）
浄如
孝慈（錦織寺）
文子（専修寺堯猷室）（実明院）
22 鏡如
広瀬千秋
義子
壬生泰弘（死別）
23 勝如
照晴（兵庫光尊寺）
照信（福井本向寺）
照弘（福井超勝寺）
24 即如
25 専如

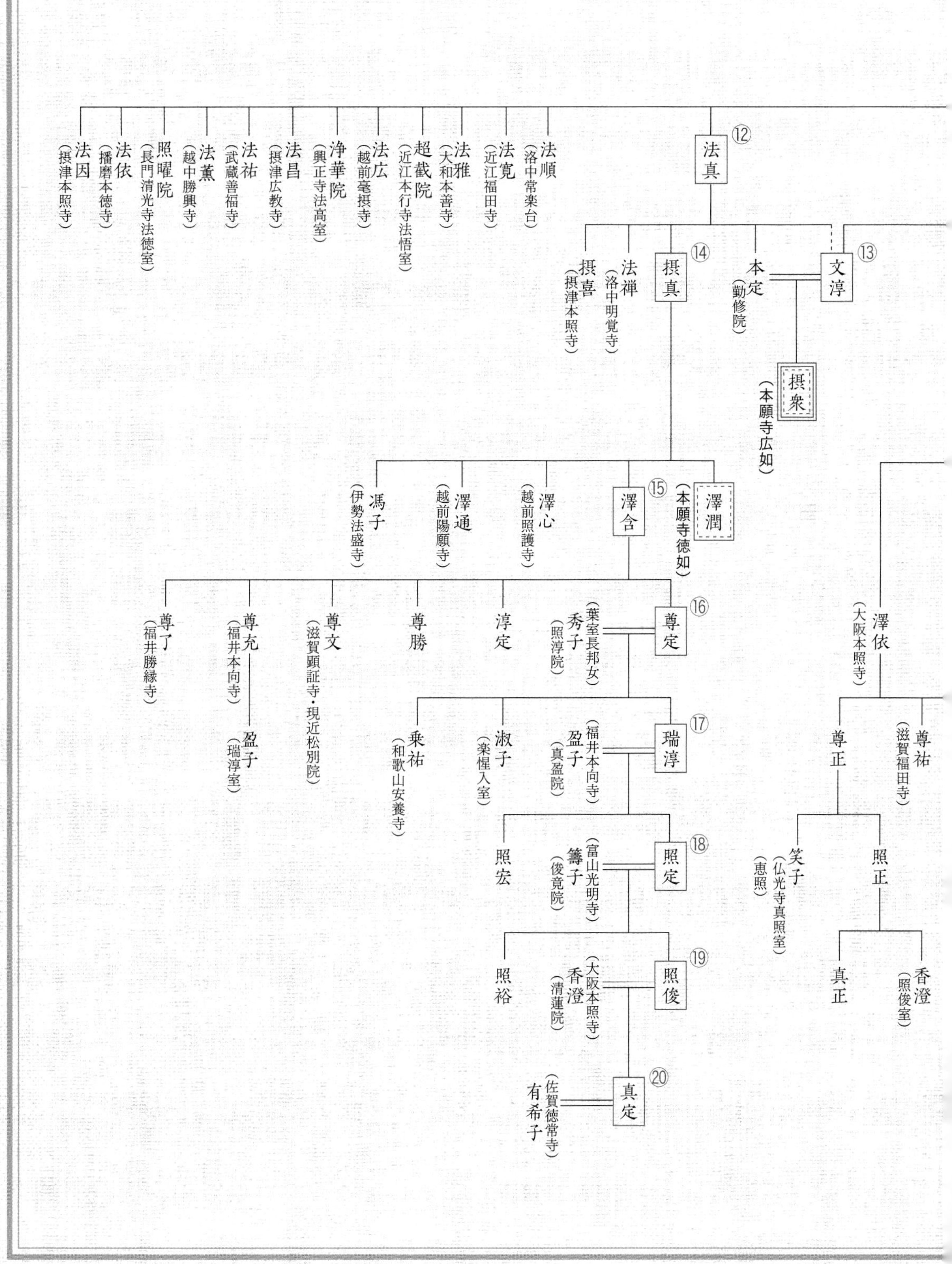

法順（洛中常楽台）
法寛（近江福田寺）
法雅（大和本善寺）
超截院（近江本行寺法悟室）
法広（越前毫摂寺）
浄華院（興正寺法高室）
法昌（摂津広教寺）
法祐（武蔵善福寺）
法薫（越中勝興寺）
照曜院（長門清光寺法徳室）
法依（播磨本徳寺）
法因（摂津本照寺）
⑫法真
⑬文淳
本定（勤修院）
摂衆（本願寺広如）
⑭摂真
法禅（洛中明覚寺）
摂喜（摂津本照寺）
澤潤（本願寺徳如）
⑮澤含
澤心（越前照護寺）
澤通（越前陽願寺）
馮子（伊勢法盛寺）
⑯尊定
秀子（葉室長邦女）（照淳院）
淳定
尊勝
尊文（滋賀顕証寺・現近松別院）
尊充（福井本向寺）
盈子（瑞淳室）
尊了（福井勝縁寺）
⑰瑞淳
盈子（福井本向寺）（真盈院）
淑子（楽惺入室）
乗祐（和歌山安養寺）
⑱照定
籌子（富山光明寺）（俊竟院）
照宏
⑲照俊
香澄（大阪本照寺）（清蓮院）
照裕
⑳真定
有希子（佐賀徳常寺）
澤依（大阪本照寺）
尊祐（滋賀福田寺）
尊正
照正
笑子（仏光寺真照室）（恵照）
香澄（照俊室）
真正

付録2

顕証寺の歴史

近松　照俊

蓮如上人五十六歳（文明二年、一四七〇年）の時に久宝寺を再訪され、詠まれた歌があります。

年つもり　五十有余をおくるまで
　きくにかわらぬ　鐘や久宝寺

蓮如上人開基の大坂別院久宝寺御堂（御坊）を建立されたのは、この頃です。そしてその御教化は大坂一円に及びました。久宝寺の寺内町としての整備と並行し、文明十一年、大坂別院久宝寺を完備し、河内西証寺（のち顕証寺）と号しました。この大坂別院西証寺を中心に大坂（摂河泉）・大和と御教化（各寺院を建立）され、ついには明応六（一四九七）年、大坂石山本願寺が完成しました。

当初、大坂別院西証寺は、蓮如上人・実如上人・蓮淳殿・慶寿院殿によって護持されていました。その行き届いた御教化のお陰により多くの人々が浄土真宗に帰依され、宗旨を転派されることとなります。そのため現在の顕証寺に存如上人・蓮如上人・実如上人・蓮淳殿の関係法宝物が存在します。

文亀二年、蓮如上人第十一男・実順師が河内西証寺初代住職となられます。しかし、実順師は二十五歳で、その後を継いだ実真師も享禄二（一五二九）年に相次いで早世されました。そのため、慈願寺をはじめ、河内十二坊や多くの僧俗門徒が大挙して本願寺に再度蓮如上人の実子の入寺を懇願し、末永く西証寺を護る事を約束した結果、大津南別所近松山顕証寺の蓮淳師（第六男）をお迎えすることに成功しました。

これより、西証寺改め近松山顕証寺となり、久宝寺寺内はより堅固な町に整えられました。外に向けては、河州十一郡各寺を統括し、大津近松の顕証寺、江州野洲郡赤野井村顕証寺、及び河州石川郡大ケ塚顕證寺を兼帯所としました。山科本願寺（現山科別院）、石山本願寺（現津村別院）、信証院（現堺別院）との法縁は殊に深く、顕証寺歴代住職が法要導師を務めるなど協力関係は今も続いています。

さらに特筆に値する事が二点あります。

本堂：正徳6年（1716）再建。大阪府指定文化財
桁行33.68m・梁行32.20m・向拝三間・入母屋造・本瓦葺

一点目は顕証寺本堂についてです。正徳六（一七一六）年に再建された現在の顕証寺本堂は、本願寺御影堂を基として新しい真宗本堂の形態が確立された御堂であり、この顕証寺の本堂が手本となり二間分威容拡大されたのが現在の阿弥陀堂です。

この頃の歴史的背景を探ってみると、顕証寺第九代・寂淳（本願寺代十四世寂如上人の弟、本徳寺寂円の弟）が本願寺より入寺されるも三十二歳でご往生。お子に先立たれ、第十代として自久院寂寿尼が住職となりましたが、久宝寺村大火の為、顕証寺が焼失。当時、大変なご苦労があったかと想像されますが、自久院殿は仏殿（本堂）再興を発願し、大坂一円にお願いされ、寂如上人のお力添えもあり、お陰で堂々たる御堂が完成したのでした（棟札：正徳六年）。この時の大工頭領は水口伊豆守宗茂です。歴史、規模、意匠など、どの点においても非常に高い文化財的価値が認められ、顕証寺本堂は、二〇一九年三月に大阪府指定文化財に指定されました。

そして寂如上人のお心遣いにより、顕証寺再興と同時に、播磨本徳寺寂円二男寂峰を迎える事となりました。のちの法如上人です。

二点目は、河内近松山顕証寺より　お三方が本願寺に入山されていることです。本願寺第十七世法如上人（寂峰）。第二十世広如上人（摂衆）、新門跡として徳如上人（広淳）、そのお三方は本願寺を支える大きな力となられました。このように顕証寺は本願寺の一門として法統を継承する中、顕証寺第十二代究竟院法真は本願寺初代執行長を務め、第十六代普照院尊定は執行（管長代理職）在職中に往生されました。

現在も親鸞聖人や蓮如上人をお通しして、阿弥陀さまへの仏恩報謝のご法要が、毎月十一日と二十七日に勤まっております。なかでも毎年五月十一日河内蓮如忌は仏法満開です。また、今般令和二年五月十日、第二十代住職継職法要が法悦の中に勤まります。誠に慶ばしいことです。

この文章を閉じるにあたり、最後に嬉しいご報告を申し上げます。それは、私の長年の念願であったお東さんと仲良くなった事です。実に有り難くお付き合いさせていただいています。この事は浄土真宗において益々のお念仏繁盛の良き機縁をいただいたと存ずる次第です。

自信教人信

表門：寛政元年（1789）再建。大阪府指定文化財
間口5.67m・四脚門潜戸付・切妻造・本瓦葺

顕証寺関係略年表

西暦	和暦	事項	蓮如上人絵伝該当箇所
一四六四	寛正五	蓮如六男蓮淳誕生する	
一四六五	寛正六	蓮如、河内久宝寺で「一年二季彼岸事」を写す	
一四六七	応仁元	蓮如、河内久宝寺の法円に「口伝鈔」を授ける	
一四六九	文明元	蓮如、寛正の法難の後、堅田の本福寺、京・室町などを転々としながら御真影をお護りし、この年大津・三井園城寺の南別所に近松坊舎（後の顕証寺）を建立した	
一四七〇	文明二	蓮祐尼（蓮如二人目の内室、実如、蓮淳の母）が往生する 蓮如、河内久宝寺にて、「歳つもり 五十有余を送るまで きくにかわらぬ 鐘や久宝寺」と詠む	
一四七九	文明一一	蓮如、大坂別院久宝寺御堂を建立 蓮如、久宝寺の大坂別院の寺号を西証寺とし、一層の拠点とする	
一四八一	文明一三	蓮如、慈願寺法光に法円御影を授与する。この頃、法円往生か	
一四九三	明応二	融誓（後の慶寿院鎮永尼、蓮淳の三女、円如の内室）、が生まれる	
一四九四	明応三	蓮如の二十四子・実順〈兼性〉（西証寺〈顕証寺〉住職）が生まれる	
一四九六	明応五	蓮如、石山の地を選定	
一四九七	明応六	大坂石山坊舎完成	
一四九九	明応八	蓮如、往生する	
一五〇二	文亀二	蓮如の十一男実順（12歳）、得度し、西証寺に入寺	4-8 実順入寺
一五〇六	永正二	河内誉田城の畠山義英が細川政元に交戦姿勢をとる	
一五〇七	永正三	細川政元の願いにより実如、諸国門徒の蜂起を指令したが門徒従わず	4-7 大坂一乱
一五一五	永正一二	実順（西証寺住職）、妙祐（蓮淳の四女）と結婚する	
一五一六	永正一三	証如、誕生する	
一五一八	永正一五	西証寺住職・実順（25歳）が往生し、実真が跡を継ぐ	
一五二一	永正一八	円如（実如二男、嗣法）が三十一歳で往生	
一五二五	大永五	実如が往生（68歳）し、証如（9歳）が本願寺十代を継ぐ。実務は下間頼秀、頼盛	
一五二九	享禄二	実真（13歳）が往生する 蓮如六男蓮淳、西証寺入寺	
一五三一	享禄四	加賀・越中にて大小一揆起こる	
一五三二	天文元	六角氏の焼き討ちに遭い、山科本願寺焼失。畿内各地で室町幕府と本願寺・一向一揆が戦う（天文四年頃まで続く）	
一五三三	天文二	宗祖影像を大坂石山に移す。大坂に本願寺を移し、大坂本願寺となる	

一五三九	天文八	蓮淳の長子・実淳が西証寺住職に	
一五四一	天文一〇	久宝寺寺内町が寺内町の特権を獲得する	
一五四二	天文一一	実淳が往生する。嗣子がなく、蓮淳が再入寺する。寺号を顕証寺と改める	4-9 蓮淳入寺
一五五〇	天文一九	八月十八日、蓮淳(87歳)、久宝寺の地で往生する	
一五五四	天文二三	証如、往生(39歳)し、顕如が本願寺十一代を継ぐ	
一五六一	永禄四	○宗祖三百回忌	
一五七〇	元亀元	織田信長の一向一揆攻めと大坂本願寺明け渡し要求に対抗し、石山合戦が始まる	
一五七一	元亀二	長島一向一揆起こる	
一五七四	天正二	織田信長、長島一向一揆を攻める。降伏した一揆勢二万人を虐殺	
		萱振城が落城する。顕証寺本堂が戦火により焼失	
一五七七	天正五	越前と雑賀の一向一揆が織田勢に敗れる	
一五八〇	天正八	勅命により本願寺は信長と講話。石山合戦終戦	
		顕如、大坂本願寺を退去し、紀州鷺森へ	
一五八一	天正九	安井清右衛門定次が織田信長から久宝寺屋敷地の支配を認められる	
一五九二	天正二十	顕如(50歳)が往生し、長男・教如が本願寺を継ぐ	
一五九三	文禄二	顕如の内室・如春尼が秀吉に顕如の書いた譲状(遺言)を見せ、顕如三男の阿茶(准如)が後継者ということを訴え、阿茶が本願寺十二代となる	
一五九四	文禄三	このころ久宝寺で太閤検地が行われる。寺内町としての特権消滅	
一五九八	慶長三	豊臣秀吉が亡くなる。如春尼が往生する	
一六〇〇	慶長五	関ヶ原の戦いで徳川家康が勝利する	
一六〇二	慶長七	徳川家康が教如に京都・烏丸六条に寺地を寄進する。東本願寺の別立	
一六〇八	慶長一三	久宝寺にあった慈願寺が八尾に移る	
一六一五	慶長二〇	大坂夏の陣で久宝寺が戦場となる	
一七〇四	宝永元	大和川付け替え工事が行われる	
一七〇七	宝永四	南海トラフ、宝永の大地震が発生。顕証寺本堂焼失	
一七一六	正徳六	顕証寺再建立(現在の本堂)	4-10 久宝寺寺内町形成
一七二〇	享保五	寂峰(顕証寺十一代)、亀山本徳寺から顕証寺に入寺	
一七四三	寛保三	本願寺十六代・湛如の後継者・静如が二十二歳で隠退。寂峰が本願寺に入山し、第十七代法如となる	
一七六〇	宝暦一〇	本願寺第十七代法如、本願寺阿弥陀堂建立	
一八一九	文政二	摂衆(顕証寺十三代)が本願寺に入山し、第二十代・広如となる	
一八四七	弘化四	澤潤(顕証寺十四代・摂真の長男)が本願寺に入山し、新門・徳如となる	

顕証寺歴代住職法名

代	法名	別称・幼名等	忌日	行年	坊守法名(俗名)	経歴等
一	実順兼性		永正十五年三月十一日	二十五	妙祐	蓮如上人十一男・河内西証寺開基
二	実真		享禄二年五月十六日	十三		
三	本法院蓮淳兼誉	信華院・光徳・三位・号光応寺	天文十九年八月十八日	八十七	妙蓮	蓮如上人六男・顕証寺へ寺号改称
四	乗勢院実淳兼盛	光徳	天文十一年八月十九日	五十一	正妙	
五	淳大院証淳教忠		天正六年四月二十六日	四十五	慶妙(あくり)	
六	徳進院顕淳佐尋		慶長十四年十二月二十一日	三十二		
七	顕応院准誓昭専		万治二年八月二十日	六十三	栄昭院准妙(茶々姫)	良如の姉
八	裁仁院准教昭蓮		万治三年二月十七日	三十八		
九	理性院寂淳円証	千代丸	元禄二年二月四日	三十二	自久院寂寿(仙姫)	良如上人三男
十	自久院寂寿尼	仙姫	正徳三年八月二日	五十六		現本堂落成
十一	寂峯常剛	春千代・蕙堂・乾亨斎・字子武	寛政元年十月二十四日	八十三	誠心院如教(長姫)	本徳寺考槃院寂円次男
十二	究竟院法真闡教	理宣院・孝丸・字子峰・号葛嶺・桃仙	文化十四年五月九日	七十三		法如上人次男・本徳寺広教寺兼住
十三	普寂院文淳暉宣	昔丸	享和二年六月二十九日	二十三	勤修院本定	文如上人三男
十四	華蔵院本淳摂真		明治十四年十一月五日	八十一	愛楽院広禅	執事・初代一等執行(現執行長)
十五	法吼院広定沢含		明治三十九年十一月五日	七十二	楽華院明定(清子)	
十六	普照院尊定	号含月	大正六年五月三十一日	五十四	照淳院秀末(秀子)	管長代理・執行・侍真長・顧問上首・会行事
十七	真慈院瑞淳		昭和四十三年十月七日	七十一	真盈院慈照(盈子)	
十八	能竟院照定	俊磨	平成十四年二月二十日	七十九	俊竟院籌光(籌子)	
十九	浤聲院照俊	俊児			清蓮院香澄(香澄)	
二十	擇竟院真定				優華(有希子)	専如門主伝灯奉告法要副会行事

御入山三上人

法諱法号	在顕証寺時法名	忌日	行年
信慧院光闡法如上人	寂峯常剛	寛政元年十月二十四日	八十三
信法院光沢広如上人	摂衆本了	明治四年八月十九日	七十三
信歓院光威徳如上人	普賢院沢潤広淳	慶応四年閏四月十四日	四十三

久宝寺寺内町の歴史

近松　照俊

文明二（一四七〇）年、河内久宝寺村において蓮如上人が手がけられた大坂別院久宝寺の寺内町づくりは、蓮淳殿（蓮如上人の六男）に至って完成されました（一五三五年）。

戦乱の混沌の中、民衆に自分たちの生活を守り、発展させようという志が芽生えました。蓮如上人は、その時代にあって、彼ら民衆の求めているところを見抜いて、わかりやすくダイナミックに伝道を展開されました。「身をすてて平座にもみなと同座するは、聖人の仰せに、四海のひとはみな兄弟」と、阿弥陀如来さまのご本願によって、全ての人が共に救われてゆく道を蓮如上人は顕かにされたのでした。その蓮如上人のご勧化は、戦乱に苦しむ民衆の心を強く捉え、生きる勇気と希望を与えたことでありました。まさに寺内町は、人々にとって「いのちの依り処」だったのでしょう。

では、蓮如上人の久宝寺寺内町の町づくりのお心とは、いかなるものだったのでしょうか。

阿弥陀さまのお国を「極楽浄土」あるいは、「仏国土」と申します。蓮如上人は河内において先ず久宝寺村に、娑婆世界での極楽浄土の出張所「仏国領」を築かれたのでした。つまり阿弥陀さまや仏法が生活の支えとなり、いのちの依り処として生き抜くあたたかい町づくりを目指されたのです。すなわち、「寺内（極楽浄土）の町」であります。その寺内町で、皆々御同朋・御同行として心豊かな日暮らしをされていました。寺の梵鐘が畑で聞こえれば、「御坊さんで有り難いお勤めがつとまるぞ！　阿弥陀さまのお呼び声だ。さぁ、皆して参ろう」。参り終わって、「尊いお話が聞けた…ナンマンダブ、ナンマンダブ。さぁ、もうひとしごと！」「紙一枚も阿弥陀さまからの賜物じゃ。もったいないのぉ。お互い迷いを持っておる者同士、共に『お念仏ひとつ』で救われる事じゃて有り難い事だ」と喜ばれたと、光蓮寺・稲城選恵和上から若き時に聞き及んだことであります。

次に、このような心豊かな久宝寺寺内町がどのように形成され、発展してきたか、詳しく述べることにいたします。

かつては、久宝寺御坊顕証寺を中心に寺内町四町四方が顕証寺の寺領でした。二重の環濠と土塁や土塀に囲まれ、水路・町並みは整備され、寺内町は、「我々の命は我々で守る」という完全なる自治組織でした。

顕証寺の前身、大坂別院西証寺に話を戻すと、蓮如上人の十一男実順師が住持となられましたが、その跡を嗣いだ実真師もともに早世されたため、蓮如上人六男・大津近松の顕証寺住持・蓮淳師に入寺していただく事となりました。その折、蓮淳師を慕って滋賀より多くの門徒が久宝寺に移住されたのです。この蓮淳師によってさらに寺内町は完備されたと言えるでしょう。

天文十（一五四一）年、経済の発展を阻害する徳政令の適用の対象から除外されるなどの特権が寺内町には認められ、人々は活気に溢れ、地域の商品流通の中心となり、経済活動は活発になっていきました。現在でも通用する経済効果でしょう。

当時、河内では木綿が栽培されていました。久宝寺寺内町のすぐ東側に旧大和川があり、その水運を利用して木綿を大坂に運び、大坂に木綿問屋を築きました。それが南久宝寺町です。南久宝寺町の人々は、元を正せば近江商人で、蓮淳師について来られたほどの熱心な念仏者でした。大坂石山本願寺の梵鐘の響きが届くところに住まいし、お念仏を広め、大坂を仏教都市と言わしめることに大いに貢献し、久宝寺にも利益をもたらした人々でした。今も南久宝寺町にその子孫がおられます。

久宝寺寺内町の不思議の一つに、念仏寺の存在があります。当時、多くの寺が天台宗、真言宗でありましたが、蓮如上人の御教化によりほとんどの住職檀家共に浄土真宗に帰依し、転派（宗派を変えること）されました。光蓮寺がその代表です。

しかし、浄土真宗顕証寺の寺領・久宝寺寺内町の中心に融通念仏宗の念仏寺がなぜ存在するのか？という疑問が湧きます。久宝寺の隣町・平野郷に融通念仏宗の総本山があります。本山のすぐ側にありながら、蓮如上人に帰依し転派するなど当時は考えられなかったため、宗派が違えど久宝寺寺内にとどまることを、蓮如上人が特別に許された、という経緯があります。「私達は蓮如上人を尊敬しています」と念仏寺前ご住職は申されました。

もともと、久宝寺には慈願寺（法性・法円）が、大井には誓願寺があって、蓮如上人も大いに頼りにされたことでした。

顕証寺では、毎月十一日と二十七日に「お逮夜」と呼ばれる常例法要が五百年余りの長きにわたり勤まっています。その顕証寺に執事長として仕えていただいた筆頭が、本願寺坊官・下間家と、その縁戚である吉川家です。下間家より執務を継がれた吉川家には顕証寺付の御典医もおられ、現在に至るまでご先祖からの「顕証寺をお守りするというお心」が脈々と受け継がれています。古くからの久宝寺墓地には、今も、下間家墳墓と吉川家の墓所とが並び立っています。また、さらに、顕証寺に関わるお名前があります。「御内」「庖丁」「御輿」……なんと顕証寺にとって心あたたまるお名前ではないでしょうか！

久宝寺寺内町に住まわれる人々、そして河内一円の有縁の方々、皆様方の熱き心によって御坊は支えられ愛されて今日に至ります。今や、環濠も崩れ、往昔の威容は失われつつありますが、姿形は変わるとも、ここは紛れもなく「阿弥陀さまの仏国領」久宝寺なのです。

誠にもって有り難し。南無阿弥陀仏。

大悲傳普化

参考文献

- 浄土真宗本願寺派総合研究所編纂『浄土真宗聖典（註釈版）第二版』（本願寺出版社）
- 浄土真宗本願寺派総合研究所教学伝道研究室〈聖典編纂担当〉編纂『浄土真宗聖典全書（五）相伝編下』（本願寺出版社）
- 本願寺史料研究所編『増補改定　本願寺史』巻一〜巻三（本願寺出版社）
- 蓮如上人絵伝調査研究班編『蓮如上人絵伝の研究』（東本願寺出版部）
- 千葉乗隆編『本福寺史』（同朋舎出版）
- 堅田修編『真宗史料集成』巻二（同朋舎出版）
- 京都国立博物館編『特別展覧会　蓮如と本願寺——その歴史と美術』（毎日新聞社）
- 八尾市歴史民俗資料館編『平成十三年特別展　久宝寺寺内町と戦国社会』
- 都市研究会編『地図と地形で楽しむ　大阪　淀川歴史散歩』（洋泉社）
- 金龍静ほか著『親鸞と蓮如』（朝日新聞社）
- 梯實圓ほか著、浄土真宗教学研究所編『蓮如上人——その教えと生涯に学ぶ』（本願寺出版社）
- 岡村喜史ほか著『大阪と本願寺』（浄土真宗本願寺派本願寺津村別院）
- 稲城選恵著『わかりやすい名言名句——蓮如上人のことば』（法藏館）
- 千葉乗隆著『蓮如絵伝ものがたり』（教行社）
- 稲城選恵著『蓮如上人の生涯とその教え』（探究社）
- 梯實圓著『光をかかげて——蓮如上人とその教え』（本願寺出版社）
- 西山邦彦著『帖外御文ひもとき』（法藏館）
- 青木馨著『蓮如上人ものがたり』（真宗大谷派宗務所出版部）
- 千葉乗隆著『蓮如上人ものがたり』（本願寺出版社）
- 瓜生津隆真著『現代語訳蓮如上人御一代記聞書』（大蔵出版）
- 金龍静著『蓮如上人の風景』（本願寺出版社）
- 千葉乗隆著『親鸞・覚如・蓮如』千葉乗隆著作集第一巻（法藏館）
- 梯實圓著『蓮如——その生涯の軌跡』（百華苑）
- 稲城選恵著『蓮如上人河内での『御文章』』（久宝寺御坊顕証寺・永田文昌堂）
- 大谷暢順著『蓮如上人・空善聞書』（講談社）
- 千葉乗隆著『図解雑学　浄土真宗』（ナツメ社）
- 草野顕之著『真宗教団の地域と歴史』（清文堂）
- 天岸浄圓著『御文章ひらがな版を読む』（本願寺出版社）
- 蒲池勢至著『真宗民族史論』（法藏館）
- 釈徹宗著『ブッダの伝道者たち』（角川学芸出版）
- 岡村喜史著『大阪と本願寺④蓮如宗主と大坂坊』（浄土真宗本願寺派大阪教区教務所）
- 藤井哲雄著『史料に見る浄土真宗の歴史　蓮如上人の生涯』（上）（中山書房仏書林）
- 上場顕雄著『往昔の宿縁』（真宗大谷派難波別院）
- 堤楽祐著『勤式作法手引書』（永田文昌堂）
- 『産経新聞』二〇一八年六月二十三日web版記事
- 浄土真宗総合研究所編纂『浄土真宗辞典』（本願寺出版社）

あとがき

本書の執筆は、顕証寺新住職と同世代の先生方にお願いをいたしました。御絵伝の制作にひとかたならない御指導を賜り、蓮如上人研究の第一人者であった稲城選恵和上。その稲城和上の御寺院（光蓮寺様）の次期住職であられる稲城蓮恵先生、学生の頃から親しく顕証寺をお支え下さっている赤井智顕先生と四夷法顕先生御兄弟の御協力により、蓮如上人御絵伝の解説書が『智慧のともしび―顕証寺本 蓮如上人絵ものがたり』として完成いたしました。特に赤井先生と四夷先生には当初の予定よりも大幅に執筆の範囲を広げてのお願いとなりました。先生方には本当に御多用のところご無理を申し上げ、お暇を欠いて取り組んで頂きました。

また、御絵伝の実際の画像を本解説書に用いるにあたり、四幅すべてをスキャンしてデータ化を行い、美しい絵伝がそのままの輝きをもって解説書に取り込まれることになりました。これは顕証寺ご門徒である小林武さま・具代さまご夫妻からの御懇念によって形となりました。

最後になりましたが、編集にあたり法藏館編集部の上山靖子さまにお世話になりました。四幅の御絵伝を生き生きと感じられるよう、細部に亘る多くのご助言を頂きました。

皆さまの御蔭により、顕証寺第二十代住職の継職記念に蓮如上人のご生涯とお徳を讃嘆させていただく「絵ものがたり」が出来上がりましたこと、心から感謝申し上げます。誠に有り難うございます。この継職法要に賛同して下さったお一人おひとりに蓮如上人のお心が届きますよう。また、久宝寺寺内町から世界へと「まれにも受けがたきは人身、あひがたきは仏法なり」（『御文章』三帖目第四通）とのお諭しによる蓮如上人のいのちの感激と願いが広まればと深心より願っています。

久宝寺御坊顕証寺

執筆者紹介

近松　真定（ちかまつ　しんじょう）
昭和52年(1977)生まれ
龍谷大学大学院文学研究科真宗学専攻修了・文学修士
顕証寺第20代住職
本願寺名誉侍真（じしん）
本願寺勤式指導所講師、相愛大学講師、行信教校講師、中央仏教学院講師、本願寺派布教使、本願寺派輔教
2017年本願寺専如御門主伝灯奉告法要副会行事
大阪市立こども文化センターホールにて「ひかる響きのコンサート」導師、他多数の聲明コンサートに出演

近松　照俊（ちかまつ　しょうしゅん）
昭和24年(1949)生まれ
龍谷大学文学部真宗学科卒業
顕証寺第19代住職
本願寺名誉侍真
本願寺勤式指導所講師、相愛大学講師
1988年(社)八尾青年会議所30代理事長
本願寺の聲明導師として、初の海外コンサートに出演
ドイツのデュッセルドルフ、ケルン、その他、京都コンサートホール、ザ・シンフォニーホールなど数多く導師にて出演。

安川　如風（やすかわ　にょふう）
昭和21年(1946)生まれ
宮絵師、株式会社宮絵師安川　代表取締役
主な仕事:賀茂別雷神社(上賀茂神社)孝明天皇行幸図大絵馬復元/高野山真言宗別格本山大圓院襖絵66面制作、ほか多数。
担当：「顕証寺蓮如上人絵伝」制作、特集2「絵所預の蓮如上人絵伝――一世一代の大仕事」

稲城　蓮恵（いなぎ　れんえ）
昭和50年(1975)生まれ
龍谷大学大学院文学研究科真宗学専攻修士課程修了・文学修士。本願寺派宗学院(本科)卒業
浄土真宗本願寺派光蓮寺副住職、本願寺派輔教
担当：第４幅、蓮如上人のご生涯(年表)、特集1「顕証寺蓮如上人絵伝とは」、特集6「蓮如上人が一目ぼれした地「大阪」」、付録２「顕証寺関係略年表」

赤井　智顕（あかい ともあき）
昭和55年(1980)生まれ
龍谷大学大学院文学研究科真宗学専攻博士課程満期依願退学。本願寺派宗学院(本科)卒業
浄土真宗本願寺派善教寺副住職、龍谷大学非常勤講師、本願寺派布教使、本願寺派輔教
担当：第１幅、特集4「蓮如上人の伝記」、特集5「蓮如上人が再興されたもの」、参考文献

四夷　法顕（しい　ほうけん）
昭和60年(1985)生まれ
龍谷大学大学院文学研究科真宗学専攻博士課程修了。本願寺派宗学院(本科)卒業
浄土真宗本願寺派信行寺住職
宗学院研究員、博士(文学)、本願寺派布教使、本願寺派輔教
担当：第２幅、第３幅、特集3「蓮如上人の絵伝」

データ編集：寄進
小林　武
小林　具代

智慧のともしび ――顕証寺本 蓮如上人絵ものがたり――

二〇二〇年五月一〇日　初版第一刷発行

編　者　顕証寺
発行所　顕証寺
大阪府八尾市久宝寺四－四－三
郵便番号　五八一－〇〇七二
電話　〇七二－九九三－一一四四

制作・発売　株式会社　法藏館
京都市下京区正面通烏丸東入
郵便番号　六〇〇－八一五三
電話　〇七五－三四三－五六五六（営業）
〇七五－三四三－〇〇三〇（編集）

ブックデザイン　鷺草デザイン事務所
印刷・製本　中村印刷株式会社

ISBN978-4-8318-6261-7 C0015